FRANÇAIS LANGUE ÉTRANGÈRE

Roselyne ROESCH
Rosalba ROLLE-HAROLD

Professeurs Certifiés
Enseignantes de langue et de civilisation
Université Stendhal Grenoble III

LA FRANCE au quotidien

Préparation au DELF

et préparation

Presses Universitaires de Grenoble

2001

Nous remercions Marie-Laure Chalaron, Professeur à l'Université Stendhal-Grenoble III, pour sa précieuse collaboration.

Cet ouvrage n'aurait pu voir le jour sans la complicité des administrations, des collectivités, des associations et des entreprises qui ont bien voulu mettre à notre disposition de nombreuses illustrations provenant de leur documentation, de leur photothèque ou de leurs archives. Que tous trouvent ici le témoignage de notre profonde gratitude et lisent le crédit photographique, en fin d'ouvrage, comme l'expression des vifs remerciements que nous adressons à chacun.

Conception et réalisation : Xavier Casanova
Iconographie : Joëlle Cohen

PRÉSENTATION

Le public

Étudiants de français langue étrangère de niveau intermédiaire, adultes en formation, tout public intéressé par le mode de vie des Français.

Les objectifs

Permettre une approche concrète de la vie quotidienne en France, donner des repères pour mieux comprendre la société française actuelle, apporter des informations pratiques.

Mettre en évidence des comportements typiquement français.

Faire acquérir le lexique propre aux thèmes abordés.

Fournir aux enseignants un support pédagogique complémentaire à l'utilisation d'une méthode ou d'un livre de grammaire

Le contenu

Douze dossiers thématiques : le calendrier, la famille, les habitudes alimentaires, la santé… donnant des informations sur les habitudes et les comportements des Français

Au fil de ces dossiers des rubriques : « Le saviez-vous ? », « Comment dire ? », « Comment faire ? », « Pour en savoir plus ».

Des articles de presse, des extraits de poèmes, de chansons, des anecdotes, des proverbes en rapport avec les différents thèmes.

Des exercices et des corrigés pour s'auto-évaluer.

Une iconographie originale pour illustrer les dossiers.

Sommaire

La France : présentation générale

Carte d'identité
Nom : France
Forme : Hexagonale
Superficie : 550 000 km^2
Nombre d'habitants : 60 000 000
Capitale : Paris
Climat : tempéré
Drapeau : Tricolore (bleu, blanc, rouge)
Hymne : La Marseillaise
Devise : Liberté, Egalité, Fraternité
Emblèmes : Le coq, Marianne

La France s'inscrit dans un hexagone. Aucun point du territoire n'est à plus de 500 km d'un rivage et aucun point n'est à plus de 1 000 km d'un autre. Il est possible, en voiture comme en train, de traverser la France du nord au sud et d'est en ouest en moins d'une journée.

La France est le seul pays européen ouvert à la fois sur la mer du Nord, la Manche, l'océan Atlantique et la Méditerranée.

1 Luchon : la vallée du Lys

LE SAVIEZ-VOUS ?

• Quelle est la différence entre un fleuve et une rivière ?
Un fleuve se jette dans la mer ou l'Océan et une rivière se jette dans un autre cours d'eau.

2 Et à Paris, coule la Sei

Le relief

C'est grâce au mont-Blanc (4 807m) que la chaîne des **Alpes** détient le record d'Europe de hauteur. On trouve, dans les Alpes, 5 sommets à plus de 4 000 m d'altitude et 300 km^2 de glaciers.

Le **Massif Central** regroupe les plus anciennes montagnes ; le point culminant est à 1886 m et on y trouve des volcans (éteints).

Le Crêt de la Neige atteint 1 718m dans le **Jura**.

Le ballon de Guebwiller (1824 m) est le plus haut sommet des **Vosges**.

Le point le plus élevé des **Pyrénées** françaises est le pic Vignemale (3 298m).

Les cours d'eau

Sur les cinq grands fleuves que compte la France, seules la **Seine** et la **Loire** coulent entièrement sur le territoire français.

Le **Rhône** prend sa source dans un glacier suisse, la **Garonne** dans les Pyrénées espagnoles et la plus grande partie du cours du **Rhin** se situe hors des frontières de la France (Suisse, Allemagne, Pays-Bas).

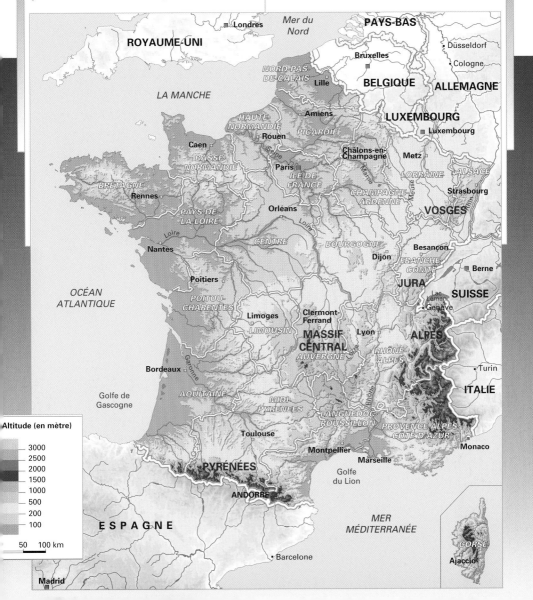

Altitude (en mètre)

3000
2500
2000
1500
1000
500
200
100

50   100 km

Le climat

Le climat de la France métropolitaine est tempéré et les températures sont modérées; les moyennes annuelles sont de 10° au nord et de 15° au sud ce qui n'empêche pas les températures extrêmes (− 30° en Alsace et 40° à Toulouse).

POUR EN SAVOIR PLUS

- Les noms des départements sont toujours des noms de rivière ou de montagne.
- La taille des départements est semblable (6 100 km²).
- Le chef-lieu est situé de telle sorte que l'on pouvait s'y rendre à cheval en une journée de n'importe quel point du département.

L'organisation administrative

La France compte 96 départements et 22 régions en métropole et 4 départements d'outre-mer qui sont autant de régions. Le découpage départemental est le fait de la révolution et sa réalisation date de 1790. Les départements sont numérotés en fonction de leur ordre alphabétique (sauf pour l'île de France et le territoire de Belfort).

Ces numéros apparaissent sur les plaques minéralogiques des voitures et constituent une partie du code postal.

Le découpage régional existe dans les faits depuis 1962.

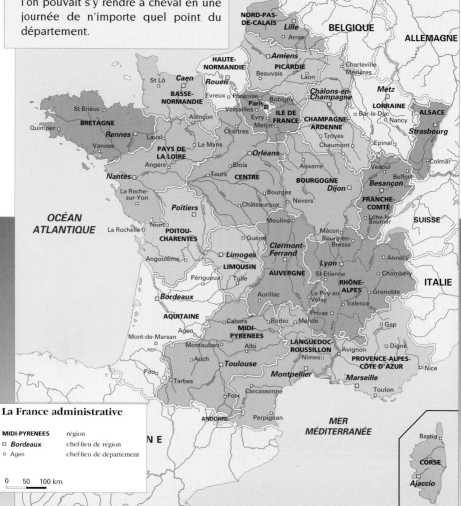

La France administrative

MIDI-PYRENEES	région
Bordeaux	chef-lieu de région
Agen	chef-lieu de département

0   50   100 km

Langue française et francophonie

On parle français au-delà des frontières de la France.

Le français est la langue maternelle du Luxembourg, de Monaco et d'Andorre et d'une partie de la Belgique, de la Suisse et du Canada ; c'est également la langue officielle de 31 pays d'Afrique.

POUR EN SAVOIR PLUS

- Depuis 1635, l'Académie française fondée par Richelieu, fixe la langue, codifie l'orthographe et rédige un dictionnaire (8 éditions).

RANÇAIS D'ORIGINE IVOIRIENNE

FRANÇAIS D'ORIGINE GASCONNE !

LE SAVIEZ-VOUS ?

- La lettre « e » est la plus utilisée ; sauf dans un roman de Georges Perec intitulé « La Disparition » où cette lettre n'apparaît pas une seule fois !

L'apparence physique des Français

Les Français mesurent en moyenne 1,73 m pour 74 kg et le poids moyen des Françaises est de 61 kg pour 1,62m.

55 % des Français ont les yeux foncés (en général marron), 31 % bleus ou gris-bleu, 14 % gris.

Les Français sont les plus gros consommateurs de cosmétiques d'Europe.

LE SAVIEZ-VOUS ?

Records d'Europe

- Le passeport français est le plus cher d'Europe (53,35 €).
- L'agglomération parisienne est la plus grande agglomération européenne (9,3 millions d'habitants).
- La France est le pays d'Europe qui possède le plus de communes (37 000, presque autant que l'ensemble des communes européennes).
- L'espérance de vie des Françaises est la plus élevée d'Europe (82 ans).
- Les fonctionnaires sont plus nombreux en France que partout ailleurs en Europe.

POUR EN SAVOIR PLUS

Combien ça coûte ? (au 1er janvier 2001)

- 1 l de lait longue conservation : entre 6 et 8 F (1 euro).
- Une baguette de pain (200 g) : 4 F (0,60 euro).
- Un café (petit expresso) dans un bar : entre 6 et 10 F (1,25 euro environ).
- Un demi de bière, un jus de fruit dans un bar : 15 F (2 euros).
- Un timbre (affranchissement pour la France et l'Europe) : 3 F (0,46 euro).
- Un ticket de bus ou de métro (à l'unité) : environ 7 F (1 euro).
- Une place de cinéma (plein tarif) : entre 40 F et 50 F (7,50 euros).
- Un quotidien national comme Le Monde : 7, 50 F (1,15 euro).

LA FRANCE D'OUTRE-MER

La France a conservé de son empire colonial un certain nombre de territoires dispersés aux quatre coins du monde : ce sont les DOM-TOM (prononcer [dɔmtɔm]).

La Terre Adélie est un désert de glace inhabité et situé près du pôle Sud. Seuls quelques scientifiques y séjournent . La Terre Adélie fait partie des Terres Australes et Antarctiques Françaises.

Dans l'océan Pacifique : trois Territoires d'outre-mer

La Nouvelle-Calédonie, surnommée aussi le « caillou », est peuplée principalement par les Kanaks (peuple mélanésien) et les Caldoches d'origine européenne. Nouméa est la ville la plus importante.

La Polynésie française est composée d'un grand nombre d'îles paradisiaques dont la plus importante est Tahiti. La France a longtemps utilisé l'atoll de Mururoa pour y faire des essais nucléaires. Aujourd'hui, ces expériences sont abandonnées.

Wallis et Futuna sont deux petites îles d'environ 12 000 habitants.

ASIE

MOYEN-ORIENT

Wallis et Futuna

Mayotte

La Réunion

AUSTRALIE

Nouvelle-Calédonie

Iles Kerguelen

Dans l'océan Indien

L'île de la Réunion est un département d'outre-mer. Cette île, déserte à l'origine, est aujourd'hui peuplée de 600 000 personnes environ. Saint-Denis en est la principale ville.

Mayotte est une collectivité territoriale où la langue française essaie de survivre.

Dans l'océan Atlantique

Dans les Caraïbes, **la Guadeloupe** et la **Martinique** sont les îles principales de l'archipel des Petites Antilles. On y parle le créole, un mélange imagé de français, de dialectes africains, d'anglais le tout saupoudré de mots indiens, espagnols et portugais ! Les Français de métropole sont appelés les *z'oreilles* et les descendants des premiers colons nés aux Antilles sont surnommés les *Békés*.

3 En Nouvelle-Calédonie, des pins aux formes étranges.

4 À la Réunion.

LE SAVIEZ-VOUS ?

• L'État français accorde des aides financières très importantes aux fonctionnaires retraités qui s'installent en Polynésie car ils participent ainsi à son développement. En effet, les îles souffrent d'une grave crise économique due à l'arrêt des essais nucléaires.

La Guyane: Ce département est situé en Amérique du Sud. La capitale, Cayenne, a été jusqu'en 1945 la ville où les bagnards étaient débarqués puis envoyés dans les îles proches.

Heureusement, aujourd'hui la Guyane est surtout connue pour la base de lancement de Kourou d'où la fusée européenne Ariane est lancée.

St-Pierre-et-Miquelon sont des Îles situées dans l'Atlantique Nord, près du Canada. La population vit surtout de la pêche.

5 *En Guadeloupe, le sourire des enfants.*

POUR EN SAVOIR PLUS

- La Guadeloupe, la Martinique, la Guyane, la Réunion sont des Départements d'Outre-Mer.
- Les Terres Antarctiques, Mayotte, la Polynésie, Saint-Pierre-et-Miquelon, Wallis-et-Futuna sont des Territoires d'Outre-Mer.
- La Nouvelle-Calédonie a un statut particulier depuis 1989.

POUR EN SAVOIR PLUS

- Les DOM (Département d'Outre-Mer) sont des départements au même titre que ceux de la métropole. Leurs représentants élus siègent à l'Assemblée nationale.
- Les TOM (Territoire d'Outre-Mer) possèdent leur propre Conseil de gouvernement et une Assemblée élue.

6 *Conseil régional et Conseil général pour les DOM, assemblée territoriale pour les TOM, l'administration de la France d'Outre-mer n'est pas simple… mais démocratique.*

Le calendrier

ALMANAC
OU
CALENDRIER
POUR L'ANNÉE
Mil six cens quatre-vingt-quatorze.

EXACTEMENT CALCULÉ
SUR L'ELEVATION ET LE MERIDIEN
DE PARIS.

Où sont marquez les Eclipses, le mouvement de la Lune, les changemens de l'air, &c. avec les jours des Foires, le Journal du Palais, le départ des Couriers, la demeure des Messagers, & plusieurs autres particularitez.

A PARIS,
Chez LAURENT D'HOURY, rüe S. Jacques, devant la Fontaine S. Severin, au S. Esprit

C'est le calendrier grégorien, élaboré en 1582 sous l'autorité du pape Grégoire XIII qui est utilisé en France depuis cette époque. Il a remplacé le calendrier julien mis en place par Jules César en 45 avant J.-C. et qui comportait quelques imperfections.

1 à **4** Almanachs et calendriers.

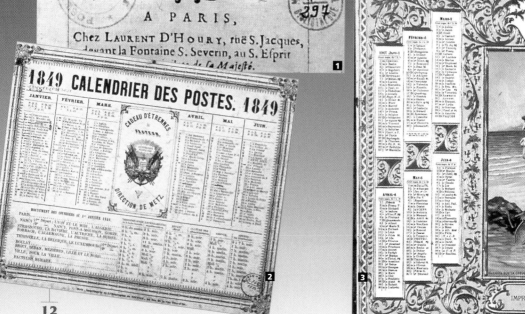

1849 CALENDRIER DES POSTES. 1849

Du jour de l'an à la Saint Sylvestre...

L'année commence le 1er janvier (le jour de l'an) et se termine le 31 décembre (la Saint Sylvestre). Le calendrier des postes dont l'usage est généralisé donne le nom d'un saint pour chaque jour de l'année et c'est souvent parmi ces noms de saints que l'on choisit le prénom des enfants à venir. En réalité les Bénédictins de Paris ont établi en 1959 une liste de plus de 6 000 saints qui figurent dans le calendrier de l'Eglise.

Chaque individu, chaque métier, chaque corporation a son Saint Patron :
– St Christophe pour les automobilistes,
– St Valentin pour les fiancés,
– St Hubert pour les chasseurs,
– Ste Barbe pour les pompiers et les mineurs (*ci-contre* **5**),
– etc.

Vous avez dit bissextile ?

■ Devinette : qu'est-ce qui distingue l'an 2000 des années 1900, 1800 ou 1700 ? À ceux qui seraient tentés de répondre, au premier degré, que l'an 2000 aura trois zéros, contre deux pour les trois autres, on proposera une réponse un peu plus subtile : l'an 2000 comportera un 29 février, et donc 366 jours comme l'an 1600, qui était aussi bissextile.

Depuis l'adoption, en 1582, du calendrier grégorien (élaboré sous l'autorité du pape Grégoire XIII pour remédier aux imperfections du calendrier julien, mis au point sous Jules César en 45 avant J.-C.), une année est en effet réputée bissextile lorsque son millésime est divisible par quatre, à l'exception des années multiples de cent qui ne sont pas divisibles par quatre cents ! 1600 et 2000 ont donc un 29 février, contrairement à 1700, 1800 et 1900, qui sont multiples de cent mais pas de quatre cents. Ce dispositif permet de retirer un jour supplémentaire trois siècles sur quatre, pour que l'année calendaire colle au plus près à la durée réelle de la rotation de la Terre autour du Soleil. ■

(Droits réservés)

...les jours se suivent, mais ne se ressemblent pas

Le calendrier comporte des fêtes civiles ou religieuses ; certaines de ces fêtes sont légales et ces jours-là, dits fériés, on ne travaille pas.

Il y a en France, en plus des dimanches, onze jours fériés. Certains ont des dates fixes, d'autres sont mobiles.

S BARBE 5

Le 1er janvier : jour de l'an
Le lundi de Pâques *(mobile)*
Le 1er mai : fête du travail
Le 8 mai : armistice de 1945
L'ascension *(mobile)*
Le lundi de Pentecôte *(mobile)*
Le 14 juillet : fête nationale
Le 15 août : l'Assomption
Le 1er novembre : la Toussaint
Le 11 novembre : armistice de 1914
Le 25 décembre : Noël

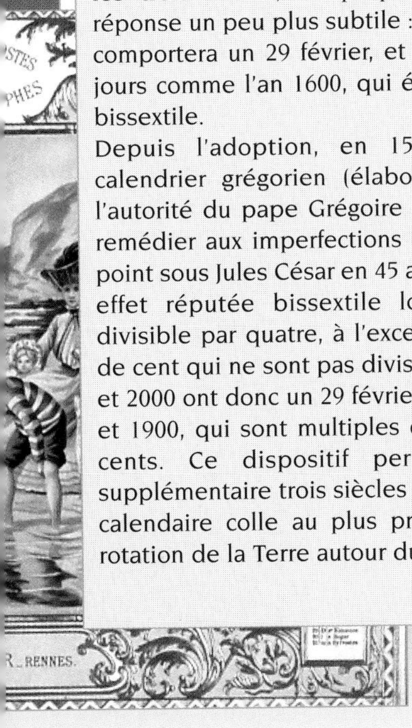

JUILLET		AOÛT	
1	M Thierry	1	S Alphonse
2	J Martinien	2	D Julien-Eymard
3	V Thomas	3	L Lydie
4	S Florent	4	M J.-M. Vianney
5	D Antoine	5	M Abel
6	L Mariette	6	J Transfiguration
7	M Raoul	7	V Gaëtan
8	M Thibault	8	S Dominique
9	J Amandine	9	D Amour
10	V Ulrich	10	L Laurent
11	S Benoît	11	M Claire
12	D Olivier	12	M Clarisse
13	L Henri, Joël	13	J Hippolyte
14	M FÊTE NATIONALE	14	V Evrard
15	M Donald	15	S ASSOMPTION
16	J N.-D. Mont-Carmel	16	D Amel
17	V Charlotte	17	L Hyacinthe
18	S Frédéric	18	M Hélène
19	D Arsène	19	M Jean-Eudes
20	L Marina	20	J Bernard
21	M Victor	21	V Christophe
22	M Marie-Madeleine	22	S Fabrice
23	J Brigitte	23	D Rose de Lima
24	V Christine	24	L Barthélémy
25	S Jacques	25	M Louis
26	D Anne, Joachim	26	M Natacha
27	L Nathalie	27	J Monique
28	M Samson	28	V Augustin
29	M Marthe	29	S Sabine
30	J Juliette	30	D Fiacre
31	V Ignace de Loyola	31	L Aristide

R _ RENNES.

4

LES FÊTES CIVILES LÉGALES

Le jour de l'an

Ce début d'année est souvent l'occasion d'une réunion familiale ou amicale autour d'un repas de fête qui varie selon les régions.

Le 1er mai

C'est la fête du travail depuis 1947. Elle a pour origine le 4e congrès des « Trade Unions » de Chicago en 1884 et a été adoptée en 1885 par le Congrès International Socialiste de Paris comme jour de revendication des travailleurs. La tradition veut que l'on offre du muguet (fleur de l'île de France) qui est un porte-bonheur.

Exceptionnellement, la cueillette et la vente du muguet sont libres ce jour-là.

Le 8 mai

C'est le jour anniversaire de la victoire de 1945 et de la fin de la 2e guerre mondiale.

Le 14 juillet

C'est la principale des fêtes nationales, elle commémore la prise de la Bastille en 1789.

À Paris (en présence du président de la République) et dans les grandes villes, les militaires défilent. Le soir, on danse dans les rues et à la nuit tombée on tire des feux d'artifice. C'est la fête civile qui suscite la plus forte participation.

Le 11 novembre

C'est l'anniversaire de l'armistice de 1918 entre l'Allemagne et la République Française. Chaque ville, chaque village a un monument aux morts qui est fleuri en cette occasion.

6 Un 11 novembre.
Un détachement de la Garde Républicaine traverse Paris en grande tenue et à cheval. Il rejoint l'arc de triomphe de l'Étoile où sera célébrée la traditionnelle cérémonie du souvenir.

LES FÊTES RELIGIEUSES LÉGALES

7 Une bûche de Noël, gâteau traditionnel en forme de bûche.

Le lundi de Pâques

Pâques est la grande fête chrétienne qui commémore la résurrection du Christ. Elle se situe un dimanche, à la fin du mois d'avril et coïncide avec l'arrivée du printemps. Le lundi qui suit est un jour férié.

Les enfants cherchent, dans les jardins ou dans les appartements, des œufs, des poules, des lapins, des poissons en chocolat que les cloches, qui viennent de Rome, déposent en survolant le ciel de France.

L'Ascension

Cette fête se situe un jeudi, quarante jours après le dimanche de Pâques et célèbre le miracle de l'élévation de Jésus-Christ dans le ciel, quarante jours après sa résurrection.

Le lundi de Pentecôte

La Pentecôte se situe cinquante jours après le dimanche de Pâques et commémore la descente du Saint Esprit sur les apôtres. Le lundi qui suit cette fête est férié.

Le 15 août

C'est la fête de l'Assomption qui fait référence à l'enlèvement miraculeux de la Vierge par les anges.

Le 1er novembre

C'est la fête de tous les saints. Le lendemain, 2 novembre, c'est la fête de tous les morts. Ce jour-là les Français vont dans les cimetières déposer, sur les tombes, des fleurs et en particulier des chrysanthèmes

Le 25 décembre

Noël, qui célèbre la naissance du Christ n'est plus une fête religieuse pour tous mais une fête de l'enfance ; elle reste essentiellement familiale.

Les catholiques vont à la messe « de minuit » le 24 décembre. On mange traditionnellement de la dinde et un gâteau appelé bûche de Noël et bien sûr le Père Noël apporte des cadeaux qu'il dépose au pied du sapin.

LE SAVIEZ-VOUS ?

Plus de 80 % des Français se disent catholiques. L'Islam est la deuxième religion de France, avec environ 5 % d'adeptes.

8 Une messe de l'Assomption célébrée en plein air.
9 La tombe de Chopin, au cimetière parisien du Père Lachaise, un 1er novembre.

QUELQUES AUTRES FÊTES

Ces autres fêtes ne sont pas des jours fériés, mais elles donnent aux Français l'occasion de partager les mêmes rituels.

Tirer les rois pour l'Epiphanie

Cette fête, d'origine orientale, est célébrée le 1er dimanche après le jour de l'an. Elle commémore l'adoration du Christ par les rois mages.

Ce jour-là, on se partage une galette à la frangipane ou une brioche dans laquelle sont dissimulées de petites figurines, représentant un roi ou une reine. Autrefois en porcelaine, aujourd'hui en plastique, elles sont appelées fèves en souvenir de l'époque où il s'agissait de haricots. Ces galettes sont vendues avec des couronnes en papier doré ou argenté. Celle ou celui qui tire la fève est reine ou roi pour la journée. Il est d'usage de boire du champagne ou un vin pétillant pour accompagner la galette.

Il arrive qu'on tire les rois à plusieurs reprises, en famille, entre amis, au bureau.

Faire sauter les crêpes pour la Chandeleur

Au début du mois de février, la Chandeleur est la fête de la purification de la Vierge. Le nom vient du latin « festum candelorum » (fête des chandelles).

La tradition est de manger des crêpes et de les faire sauter avec une pièce de monnaie dans la main. C'est, dit-on, une garantie de chance et de prospérité.

Se déguiser pour le Mardi Gras

En février, le Mardi Gras est le dernier jour du carnaval précédant le carême (période de jeûne pour les catholiques pratiquants). Les enfants, et parfois les adultes, se déguisent. Certaines villes comme Nice organisent de grands carnavals avec des défilés de chars.

On mange des petits gâteaux qui, selon les régions, s'appellent merveilles, oreillettes ou bugnes.

10

11

Dire son amour,
pour la St Valentin

Depuis le XVe siècle, la St Valentin est la fête des amoureux.

Aujourd'hui, on célèbre cette fête en envoyant une carte, ou en offrant un cadeau à celle ou à celui que l'on aime.

Faire des farces
pour le 1er avril

C'est le jour des plaisanteries et des blagues habituellement interdites. On dit « poisson d'avril » à ceux à qui on fait une farce. Ce jour-là les journaux, la radio et la télévision annoncent de fausses nouvelles. L'origine de cette fête n'est pas déterminée avec précision.

Faire de la musique,
chanter et danser dans la rue

La fête de la musique a été instaurée à la date du 21 juin par le ministre de la culture Jack Lang, en 1982.

À l'occasion de cette fête, il y a des manifestations spontanées ou organisées autour de la danse et de la musique, dans les villes et les villages.

Mettre des chapeaux farfelus
pour la Ste Catherine

Le 25 novembre, les jeunes femmes célibataires, de plus de 25 ans font une fête et portent à cette occasion des chapeaux fantaisistes. Cette coutume, qui avait un peu disparu, revient au goût du jour.

Offrir des cadeaux
à ses parents

La fête des mères se trouve fin mai ou début juin. Déjà au VIe siècle à Rome une fête des mères était célébrée et en 1806, Napoléon en avait évoqué l'idée mais cette fête est officielle depuis 1929.

La fête des pères, créée en 1952, se trouve à la fin du mois de juin.

Danser, boire du champagne
pour la St Sylvestre

Le 31 décembre, lors de la nuit de la St Sylvestre, à minuit exactement, les Français s'embrassent « sous le gui », plante que l'on trouve sur certains arbres, que l'on accroche au-dessus des portes ou à l'intérieur des maisons pour le nouvel an et qui porte bonheur.

13

10 *Crêpes de la Chandeleur.*
11 *et* **12** *Déguisements et masques de Mardi-Gras.*
12
13 *Gâteaux en forme de cœur pour la Saint-Valentin.*

COMMENT DIRE ?

Lors des fêtes de fin d'année

- Joyeux Noël ! pour le 25 décembre.
- Au jour de l'an, on embrasse les parents, les amis, les voisins et on leur souhaite beaucoup de choses agréables mais surtout une bonne année et une bonne santé. On offre des étrennes qui sont des cadeaux ou de l'argent pour le facteur, le concierge, les pompiers. Les commerçants font parfois de petits cadeaux à leurs fidèles clients.

EN CHANSON

À l'occasion d'un anniversaire, on chante

Bon anniversaire
Nos vœux les plus sincères
Que ces quelques fleurs
Vous apportent le bonheur
Que la vie entière
Vous soit douce et légère
Et que l'an fini
Nous soyons tous réunis
Pour chanter en chœur
Bon anniversaire

Le soleil et la lune

Le soleil a rendez-vous avec la lune
Mais la lune n'est pas là et le soleil l'attend
Ici-bas souvent chacun pour sa chacune
Chacun doit en faire autant
La lune est là, la lune est là
La lune est là mais le soleil ne la voit pas
Pour la trouver il faut la nuit
Il faut la nuit mais le soleil ne le sait pas et toujours luit
Le soleil a rendez-vous avec la lune
Mais la lune n'est pas là et le soleil l'attend
Papa dit qu'il a vu ça lui…..

Charles Trenet, *Le Soleil et la Lune*

POUR EN SAVOIR PLUS

Les Français adorent la météo

Les Français sont « accros » aux prévisions météorologiques : 76 % d'entre eux déclarent s'y intéresser quotidiennement.

- En plus des bulletins (journaux, radio, télé), ils ont passé, en 1998, 56 millions d'appels par téléphone ou Minitel à Météo France.
- Pour améliorer ses prévisions, la météo nationale recevra, en octobre, un calculateur capable de traiter 300 milliards d'opérations par seconde.

LE SAVIEZ-VOUS ?

Les jours de la semaine

- Les cinq premiers jours de la semaine correspondent à des noms de planètes :

Lundi :	la Lune
Mardi :	Mars
Mercredi :	Mercure
Jeudi :	Jupiter
Vendredi :	Vénus

- Samedi désigne le septième jour de la semaine, correspondant au sabbat chez les juifs.
- Dimanche signifie « jour du Seigneur ».

En France, le Père Noël existe !

- En voulez-vous une preuve ? La voilà : Si, pendant le mois de décembre, vous écrivez au Père Noël, il vous répondra ! En effet, un service spécial est mis en place par l'administration des postes pendant la période des fêtes ; ce service s'efforce de répondre à toutes les lettres adressées au Père Noël.

PROVERBES ET DICTONS

- En avril, ne te découvre pas d'un fil.
  En mai, fais ce qu'il te plaît.
- Noël au balcon, Pâques au tison.

EXERCICES

Fête de la MUSI@UE
21 JUIN

VRAI OU FAUX ?

1. Toutes les fêtes françaises correspondent à des jours fériés.
2. A la chandeleur, on tire les rois.
3. La fête des mères est officielle depuis Napoléon.
4. Le 1er avril, on fait des plaisanteries.
5. Il y a 10 jours fériés en plus des dimanches.
6. La fête des pères n'existe pas.
7. La fête de la musique date de la Révolution.
8. On danse dans les rues pour la fête des mères.
9. Le protestantisme est la deuxième religion de la France.
10. Le jour de Pâques n'est pas un jour férié.

RETROUVEZ LE LIEN

Associez les mots qui suivent aux fêtes qu'ils évoquent.

1 La fève
2 Le muguet
3 Les feux d'artifice
4 Les crêpes
5 Les cloches
6 Les chrysanthèmes
7 Les étrennes
8 Les amoureux
9 La dinde

a La St Valentin
b Pâques
c La chandeleur
d Toussaint
e La fête du travail
f Le jour de l'an
g Le 14 juillet
h L'Epiphanie
i Noël

YAHOO!
WWW.YAHOO.FR
ST VALENTIN
Amoureux secret, admirateur transi, lancez-vous... dites-lui tout !
Libération
WWW.LIBERATION.FR

À VOTRE AVIS...

A. Quelle est la fête française à laquelle vous aimeriez participer ?
B. Y en a-t-il une qui vous semble inutile, ridicule ou absurde ? Dites pourquoi.

15

15 *La Patrouille de France ouvre le traditionnel défilé militaire du 14 juillet, sur les Champs-Élysées, à Paris.*

16 *La foire traditionnelle de la Ste Barbe, à Montceaux-les-Mines. Aux fêtes nationales viennent en effet s'ajouter de multiples fêtes locales.*

16

La famille

Autrefois, André Gide disait : « Famille, je vous hais. » Aujourd'hui, les jeunes disent : « Famille, je vous aime. » En effet, les liens familiaux sont très forts, ils protègent d'une société souvent jugée hostile.

Depuis 30 ans, la famille a beaucoup changé mais elle demeure une valeur essentielle de la société française.

1 Un mariage : la sortie de l'église.

2 Une pièce montée préparée pour un repas de mariage.

PROVERBES ET DICTONS

- Qui se ressemble, s'assemble.
- Mariage pluvieux, mariage heureux.
- Loin des yeux, loin du cœur.
- L'amour est aveugle.

LE NOM DE FAMILLE

Les noms de famille les plus courants

270 000 personnes s'appellent Martin, viennent ensuite les Durand, quant aux Dupont, ils arrivent en quatrième position avec 77 000 homonymes. Vous avez plus de probabilités de rencontrer un Monsieur ou Madame Petit qu'un Monsieur ou Madame Dupont car ils sont au nombre de 126 000 !

POUR EN SAVOIR PLUS

Changer de nom de famille

Si vous jugez que votre nom est ridicule ou a une consonance étrangère gênante, vous pouvez le faire modifier mais la procédure est longue et coûteuse.

Les noms de professions sont à l'origine de nombreux patronymes comme Meunier, Boulanger, de même, les noms de lieux ont donné des Duval, des Dumoulin ou des Bourgeois.

Les noms à particules

La particule « de » n'est pas nécessairement un signe de noblesse ; elle marque parfois l'origine géographique d'une personne.

En France, en 2000, il y avait 1 prince, 35 ducs, 133 marquis, 162 comtes…

Les prénoms usuels

« Jean » est le prénom le plus répandu dans la population française. Traditionnellement, les prénoms étaient choisis parmi les noms du calendrier. Mais depuis 1993, la loi permet aux parents de choisir librement le prénom de leur enfant. C'est ainsi que sont nés de nombreux Kevin et de nombreuses Alison, prénoms anglo-saxons très à la mode.

3 Une famille.

LA VIE DE FAMILLE

Une famille c'est au moins deux personnes vivant sous le même toit : un couple (avec ou sans enfants) ou un adulte et au moins un enfant. Plus de 80 % de la population vit en famille.

Les femmes et le foyer

Aujourd'hui, la majorité des femmes ont un emploi (seulement 4 % des femmes de 30 ans n'ont jamais travaillé).

Les tâches domestiques sont mieux réparties à l'intérieur de la cellule familiale, même si les femmes passent toujours plus de temps que les hommes à la préparation des repas, au ménage et à l'entretien du linge. Les hommes s'occupent davantage des enfants qu'autrefois, en revanche ils sont encore peu nombreux à demander un congé parental pour élever leur enfant, ce que la loi leur permet de faire.

LE SAVIEZ-VOUS ?

L'accouchement sous X

Les femmes ont la possibilité d'accoucher « sous X », c'est-à-dire de manière anonyme et ensuite d'abandonner leur enfant qui pourra alors être adopté.

EN CHANSON

Cécile, ma fille

Elle voulait un enfant
Moi, je n'en voulais pas
mais il lui fut pourtant facile
avec ses arguments
de ce faire un papa
Cécile, ma fille

Et te voilà, et me voici, moi
Moi j'ai trente ans et toi, six mois
On est nez à nez, les yeux dans les yeux
Quel est le plus étonné des deux ?

Claude Nougaro

Les enfants en famille

Les enfants participent à leur manière à la vie de famille. Ils mettent et débarrassent la table et 40 % d'entre eux préparent de temps en temps les repas. Ils vivent dans la famille de plus en plus longtemps, jusqu'à 25 ans en moyenne, et les parents aujourd'hui, qui sont plus tolérants qu'autrefois, acceptent d'héberger occasionnellement pour la nuit le petit ami ou la petite amie de leur enfant.

4 *Père et fils.*

C'est avec un grand bonheur que
Théo
vous annonce la naissance de sa petite sœur
Emma
le 27 février 2000
Marie MARTIN et Jean PETIT

Bienvenue
à la petite perle
Emma
née le 27 février

*Joëlle et Xavier
t'attendent pour te
couvrir de bisous.*

LA POLITIQUE FAMILIALE

La durée des études s'allongeant, les femmes ont leur premier enfant plus tard, en moyenne à l'âge de 29 ans. On constate aujourd'hui qu'il y a plus de femmes enceintes à 40 ans qu'à 20 ans !

En France, comme partout en Europe, la natalité est en baisse. Le nombre d'enfants par femme semble se stabiliser légèrement à moins de 2,1, chiffre qui correspond au seuil de renouvellement des générations.

L'État et la famille

L'État a été amené à mettre en place toute une politique familiale pour encourager la natalité.

– Les femmes ont droit à un *congé de maternité*, rémunéré par l'employeur et par la Sécurité sociale, d'un montant égal à leur salaire. Pour un premier enfant la durée de ce congé est de 6 semaines avant l'accouchement et 10 semaines après. À partir du troisième enfant, il est de 8 semaines avant la naissance et de 12 semaines après.

– *Les allocations familiales* : elles sont accordées quels que soient les revenus. Toutes les familles qui ont au moins deux enfants perçoivent des allocations familiales qui s'élevaient en 2000 à 104,66 € (686,55 F) par mois pour deux enfants, et à 238,91 € (1 567,13 F) pour trois enfants. Ces allocations sont versées jusqu'à ce que les enfants aient 20 ans. Les familles les plus modestes perçoivent un complément familial.

– *Le congé parental* permet à l'un des parents d'arrêter son travail jusqu'à ce que l'enfant ait 3 ans. Il conserve alors son emploi mais perd son salaire. En compensation, il perçoit une allocation parentale.

– Certaines prestations sont accordées en fonction du revenu familial. Il s'agit de *l'allocation de rentrée scolaire* qui était en 1999 de 1 600 F (243,90 €) par enfant et par an, et de *l'aide au logement* qui participe au paiement du loyer.

– Les familles qui ont trois enfants au moins peuvent obtenir *une carte de famille nombreuse* et ainsi bénéficier de nombreuses réductions notamment dans les transports.

5 *Manifestation pour le droit des femmes.*

POUR EN SAVOIR PLUS

La contraception

• Le Planning familial informe les femmes sur les divers moyens de contraception. Les conseillers de cette association aident également les femmes enceintes qui ne veulent pas mener leur grossesse à terme.

L'interruption volontaire de grossesse (IVG)

• L'IVG est légale depuis 1975, et remboursée par la sécurité sociale depuis 1983. Elle doit être effectuée avant la 10e semaine de grossesse. Sous la pression des mouvements féministes, cette limite devrait être repoussée. En effet, ce délai relativement court contraint de nombreuses femmes à se faire avorter dans des pays européens où la loi est différente.

LE MARIAGE, LE DIVORCE ET L'UNION LIBRE

Le mariage

Depuis les années 70 le nombre de mariages est en baisse, comme partout en Europe. On enregistre environ 250 000 mariages par an. Les Français se marient de plus en plus tard, 27 ans pour les femmes et 28 ans pour les hommes.

L'âge légal du mariage est, sauf dérogation, de 15 ans pour les filles et de 18 ans pour les garçons. La majorité légale étant 18 ans, les mineurs doivent obtenir l'autorisation de leurs parents.

Pour se marier civilement, il faut s'adresser à la mairie du lieu de résidence de l'un des futurs époux et fournir un extrait d'acte de naissance et un certificat de visite médicale prénuptiale. La mairie publie alors les bans pendant deux semaines : elle affiche les noms des futurs époux ainsi que la date du mariage. Le jour du mariage, chacun des époux doit se présenter avec au moins un témoin.

Les femmes ont le choix de garder leur nom de jeune fille ou de prendre le nom de leur mari. La plupart choisissent de prendre le nom de leur conjoint, celles qui gardent leur nom de jeune fille le font le plus souvent pour des raisons professionnelles.

Vive les mariés !

Les fiancés offrent des dragées (amandes enrobées de sucre) à leurs parents et amis pour leur annoncer leur prochain mariage.

Le mariage est souvent l'occasion de faire un cadeau aux futurs mariés qui déposent des listes de mariage dans différents magasins.

La plupart des mariages ont lieu le samedi et réunissent les amis et les familles des deux époux. À la sortie de la mairie ou de l'église, les invités leur lancent du riz pour leur souhaiter bonheur et prospérité.

Un cortège de voitures décorées de fleurs et de rubans suit en klaxonnant la voiture des mariés qui se dirige vers le lieu où une réception est offerte aux invités.

Les repas de mariage se terminent par une « pièce montée », gâteau faite de choux à la crème disposés en pyramide, que les mariés découpent et servent aux convives.

6 *Les futurs époux et leurs témoins devant le maire*

POUR EN SAVOIR PLUS

Les mariages mixtes

• Un mariage sur sept est un mariage mixte, c'est-à-dire qu'un des époux est étranger. Un an après son mariage, le conjoint étranger pourra recevoir une carte de résident. On considère qu'une partie de ces mariages sont des mariages « blancs », c'est-à-dire fictifs.

Les mariages religieux

• Les mariages religieux ne concernent que la moitié des mariages.

Le divorce

Le nombre de divorces est en nette augmentation : un mariage sur trois se termine par un divorce ; dans les grandes villes, c'est un mariage sur deux.

L'instauration du divorce par consentement mutuel (les conjoints sont d'accord pour se séparer) et l'indépendance financière des femmes expliquent en grande partie cette augmentation. Les épouses demandent plus souvent le divorce que leurs conjoints : dans 35 % des cas, l'initiative en revient aux femmes ; dans 25 % des cas, aux hommes ; dans 40 % des cas, la démarche est faite conjointement.

Sur trois couples qui divorcent deux ont des enfants. Le plus souvent ils sont confiés à la garde de la mère et le père voit ses enfants un week-end sur deux et pendant la moitié des vacances scolaires. De plus en plus de pères s'élèvent contre cette discrimination et se sont regroupés en associations pour demander une révision de la loi sur les divorces. Un enfant de divorcé sur quatre ne voit plus un de ses parents. Le juge aux affaires matrimoniales détermine le montant de la pension alimentaire qu'un des parents doit verser à celui qui a la garde des enfants.

L'union libre

La cohabitation hors mariage a beaucoup augmenté depuis les années 70, et on constate aujourd'hui que 5 millions de Français vivent en union libre. La naissance d'enfants n'entraîne plus systématiquement la régularisation d'une union, d'ailleurs 2 enfants sur 5 naissent hors mariage et l'union libre ne semble plus être un « mariage à l'essai » même si la majorité des couples qui se marient aujourd'hui ont vécu ensemble.

Devant cette situation, l'État a été amené à prendre des mesures en faveur du concubinage. Les mairies peuvent établir une attestation de concubinage qui permettra par exemple au membre du couple qui ne travaille pas de bénéficier de la Sécurité sociale de son compagnon.

Une loi récente, le Pacs (Pacte civil de solidarité), élargit encore les droits des couples non mariés et les étend aux couples homosexuels. Les couples qui signent le Pacs bénéficient de droits sociaux qui se rapprochent des droits des couples légitimes. Un étranger peut éventuellement obtenir un titre de séjour après avoir signé un Pacs avec un ressortissant français.

Après combien d'années de mariage le divorce est-il demandé ?

• Moins de 5 ans :	14 %
• de 5 à 10 ans :	22,5 %
• de 10 à 15 ans :	18 %
• de 15 à 20 ans :	16 %
• de 20 à 25 ans :	15 %
• de 25 à 30 ans :	7,5 %
• Plus de 30 ans :	7 %

Selon quelle procédure ?

• Pour faute :	43 %
• Par consentement mutuel :	55 %
• Pour rupture de la vie commune :	1,5 %
• Procédure non déterminée :	0,5 %

LES « NOUVELLES FAMILLES »

Les familles monoparentales

Le nombre des familles monoparentales, c'est-à-dire composées d'un ou de plusieurs enfants et d'un adulte (le plus souvent une femme) augmente régulièrement.

Elles sont plus nombreuses à Paris et dans les grandes villes. Elles sont composées en majorité de divorcés (43 %), ensuite de célibataires (21 %) puis de veufs (20 %). Les familles monoparentales sont celles qui ont le plus de difficultés financières. L'État leur vient en aide en leur versant une *allocation de parent isolé* dont le montant varie selon le revenu.

Les familles recomposées

La famille recomposée est la conséquence du nombre important de divorces puisque dans 85 % des cas les divorcés fondent une nouvelle famille. Les enfants doivent alors s'adapter à un « beau-père » ou à une « belle-mère » et aux enfants de ceux-ci, ainsi qu'à de nouveaux grands-parents. Souvent ils ont aussi des demi-frères et des demi-sœurs. Sur 100 enfants dont les parents ont divorcé, 66 ont des demi-frères et des demi-sœurs.

APRÈS 60 ANS…

Les plus de 65 ans représentent 20 % de la population et ce chiffre devrait augmenter car aujourd'hui les seniors sont très attentifs à leur état de santé et ont une retraite souvent active. Leurs conditions matérielles sont globalement satisfaisantes et ils profitent de leur temps libre pour voyager, se cultiver, faire du sport et bien souvent rendre de nombreux services à leurs enfants. Ils bénéficient aussi de quelques avantages :
– des réductions dans les trains, les cinémas, les musées… ;
– des déplacements gratuits aux heures creuses dans les transports en commun de certaines villes ;
– une diminution d'impôts à partir de 70 ans.

PETITES ANNONCES

Rencontres

Mme vous êtes agricultrice, alors rencontrez ce sympathique garçon de 60 ans div. (sans enfants) chauffeur de profession. Son rêve, vivre à la campagne, vous seconder, de grands bras solides, sérieux, sincère, travailleur. Vous, 45/60 ans, cél., veuve ou div. Enfants bienvenus. N° 458 0125.

Garde d'enfants

Paris 19ᵉ M° Jaurès. Recherche personne chaleureuse pour garder à dom. 2 jumeaux de 5 mois ainsi que leur grande sœur âgée de 3 ans et scolarisée. Plein temps. Urgent. n° 458 0126.

7 *Famille recomposée.*

PROVERBE

• Il faut laver son linge sale en famille.

EXERCICES

VRAI OU FAUX ?

1. La majorité des jeunes français se sentent bien en famille.
2. Les filles doivent avoir l'autorisation de leurs parents pour se marier.
3. La femme doit porter le nom de son mari.
4. Le divorce par consentement mutuel signifie que les époux refusent de se séparer.
5. Le PACS est réservé aux couples homosexuels étrangers.
6. Une famille monoparentale est une famille qui n'a qu'un enfant.
7. Dans les familles recomposées, le beau-père d'un enfant est le mari de sa mère.
8. Le gouvernement français accorde de nombreuses aides aux familles afin de les inciter à avoir plus d'enfants.
9. L'allocation de rentrée scolaire est accordée à toutes les familles.
10. Les allocations familiales sont versées jusqu'à la majorité de l'enfant.

PROVERBES ET DICTIONS

• Mains froides, cœur chaud.

VOUS RECHERCHEZ L'ÂME SŒUR ?
Dressez son portrait robot

Je souhaite rencontrer de préférence une personne :

• aux cheveux :
  ☐ blonds ☐ bruns ☐ châtains ☐ roux

• aux yeux :
  ☐ bleus ☐ verts ☐ marrons

• à l'allure :
  ☐ classique ☐ sportive ☐ raffinée

• qui est :
  ☐ célibataire ☐ veuf(ve) ☐ divorcé(e)

• sa profession :
  ☐ commerçant ☐ artisan ☐ agriculteur
  ☐ cadre ☐ employé ☐ fonctionnaire
  ☐ libérale ☐ ouvrier ☐ sans importance

• ses qualités primordiales :
  ☐ humour ☐ franchise ☐ culture
  ☐ disponibilité ☐ tendresse ☐ intelligence
  ☐ dynamisme ☐ compréhension ☐ sensualité
  ☐ savoir-vivre ☐ fidélité ☐ esprit ouvert

• J'aimerai rencontrer cette personne :
  ☐ vacances ☐ soirée ☐ week-end

8 Un buffet de mariage : la table des desserts.

Marie MARTIN et Jean PETIT

ont la joie de vous annoncer leur mariage

le 19 août 2000
à Saint-Cyr-l'École

La table

Le Français, grand consommateur de pain et de vin, serait-il en voie de disparition ? Eh oui, la consommation de ces deux produits est en baisse constante, en revanche les Français restent très attachés à leurs traditions culinaires même si elles ont tendance à se diversifier.

1 L'étal d'une fromagerie

2 Le fournil d'une boulangerie

LES REPAS DE TOUS LES JOURS

Dans les grandes villes, la vie moderne a modifié les habitudes alimentaires des Français. La consommation des produits surgelés est en constante augmentation, le temps passé à préparer de bons petits plats diminue et les habitudes alimentaires ont tendance à ressembler à celles de nos voisins européens.

« Le p'tit déj »

Le petit déjeuner français surprend souvent les étrangers par sa frugalité. Il se compose traditionnellement d'une boisson chaude, le plus souvent d'un café noir ou au lait et plus rarement de thé. La moitié des Français prennent des tartines de pain beurré et de la confiture. Les enfants boivent du chocolat et mangent parfois des céréales. 6 % des Français ne déjeunent pas le matin.

Pour inciter les enfants à avoir une nourriture plus équilibrée, surtout le matin, des campagnes d'informations sont faites chaque année dans les écoles primaires et les collèges, c'est « la semaine du goût ». Cette semaine-là, on propose aux enfants des aliments qu'ils n'ont pas l'habitude de consommer.

Le déjeuner

70 % des Français prennent leur repas de midi chez eux, particulièrement ceux qui habitent des villes moyennes où le travail s'arrête à 12h et reprend à 14h. À Paris, il est souvent impossible de rentrer chez soi, alors on mange « sur le pouce ». La restauration rapide française ou étrangère attire de nombreux clients, surtout les jeunes.

Si vous êtes salarié, vous pouvez bénéficier de « tickets restaurants ». Les entreprises en paient une partie et le reste est à la charge de l'employé. Ces chèques-repas sont acceptés dans de nombreux restaurants (**5** *ci-dessous*).

Le dîner

C'est le repas qui réunit toute la famille, il est pris entre 19 heures et 20 heures et peut se composer de plusieurs plats, et de fromage accompagné d'un peu de vin.

4 *Steak hâché et frites*

3 *Café et croissants*

Ticket Restaurant 99   ACCOR

LES OCCASIONS DE FAIRE UN BON REPAS

Les achats alimentaires se font le plus souvent dans les grandes surfaces situées à la périphérie des villes. En revanche, le dimanche et pendant les vacances, aller faire ses courses au marché est un véritable plaisir.

Depuis trente ans, la part du budget familial consacrée à l'alimentation est en baisse mais les Français apprécient toujours les plaisirs de la table et ne manquent pas une occasion de faire un bon repas.

Les repas du week-end

Le samedi soir est le jour de prédilection des Français pour faire une sortie au restaurant, en famille ou entre amis. Les restaurants qui proposent une cuisine étrangère concurrencent désormais fortement les restaurants pratiquant une cuisine traditionnelle.

Mais si l'on veut faire « un bon repas » ou si on veut fêter une occasion particulière, on choisira souvent un bon restaurant français !

Les repas de fêtes

Les Français aiment se réunir en famille pour partager « un repas de famille » qui peut durer plusieurs heures ! Certaines fêtes s'accompagnent de mets traditionnels.

Noël ne serait pas Noël sans foie gras en entrée, sans dinde aux marrons et sans bûche de Noël ! Bien sûr il est toujours possible de faire preuve d'originalité !

Tout au long du mois de janvier, tirer les Rois avec sa famille, ses amis, ses collègues de travail, est devenu incontournable (voir le chapitre 1).

Pour la Chandeleur, le 2 février la tradition veut que l'on fasse des crêpes. Elles peuvent être salées et accompagnées de jambon, d'œufs ou de légumes, mais les enfants les préfèrent sucrées avec du chocolat fondu, du miel ou simplement du sucre. Les adultes ont une préférence pour les « crêpes Suzette » qui sont flambées avec un alcool fort.

Les autres fêtes laissent plus de liberté à la maîtresse de maison. Mais il est vrai qu'à la fin mars ou en avril, par exemple, on trouve du chevreau dans les boucheries et le repas de Pâques se compose souvent de chevreau rôti ou de gigot d'agneau.

6 *La salle de la Ferme Saint-Simon, un restaurant « chic »*

ALLER AU RESTAURANT

Au restaurant le service est compris dans le prix du repas, cependant si vous êtes très satisfait du service vous pouvez laisser un pourboire.

Le menu ou la carte

La plupart des restaurants offrent des menus composés d'une entrée, d'un plat de viande ou de poisson garni de légumes, de fromage et/ou de dessert.

Vous avez aussi la possibilité de manger à la carte, c'est-à-dire de commander un seul plat ou de composer votre propre menu. Dans ce cas il faut savoir que les prix sont plus élevés que ceux du menu.

7 *La carte et le menu d'un très bon restaurant.*

Ce qu'il vaut mieux savoir

Le vin et les boissons sont très rarement compris dans le prix du menu et figurent le plus souvent sur la carte des vins qui est différente de celle des mets.

En France vous pourrez bien sûr déguster des escargots ou des cuisses de grenouilles, mais sachez que ces plats sont relativement chers et ne figurent pas à la carte de tous les restaurants !

Depuis la loi sur l'interdiction de fumer dans les lieux publics, les restaurants sont tenus d'avoir des espaces réservés aux fumeurs. Cependant, certains restaurants les tolèrent dans les zones non fumeurs.

Il est souvent difficile de se restaurer après 14 heures et après 22 heures car les restaurants traditionnels n'acceptent plus les nouveaux clients à ces heures. Bien sûr, il est toujours possible de se nourrir dans les brasseries ou les établissements de restauration rapide.

LA FERME SAINT-SIMON

= À LA CARTE =

ENTRÉES

LASAGNE DE COQUILLAGES ET CRUSTACÉS EN VELOUTÉ DE CÈPES ET JUS DE HOMARD	78
FOIE GRAS DE CANARD, PAIN DE CAMPAGNE GRILLÉ	125
SALADE DE SAINT-JACQUES ET ROUGETS, DÉS DE COMICE ET PARMESAN	92
FUMET DE GIBIER, PETITE ROYALE DE FOIE GRAS ET JUS DE TRUFFES	76
CARPACCIO DE THON EN ASSIETTE FRAÎCHEUR, BOUCHÉES À LA FLEUR DE THYM	74

POISSONS

MORUE POELÉE FONDANTE AUX COCOS ET FÈVES FRAÎCHES	115
RISOTTO DE COQUILLES SAINT-JACQUES AUX CHAMPIGNONS SAUVAGES	138
ROUGETS GRILLÉS EN FILETS, HUILE D'OLIVE ET BALSAMIQUE, FONDUE DE LÉGUMES	130
AILE DE RAIE À LA VAPEUR ET GALETTE FONDANTE DE CHOU VERT	105
FEUILLANTINE DE HOMARD AUX HERBES POTAGÈRES	195

VIANDES

AGNEAU DE LOZÈRE, TUILE AUX FINES HERBES ET HARICOTS BLANCS À LA CRÈME D'AIL	120
GIGUE DE CHEVREUIL EN POIVRADE ET GARNITURE D'AUTOMNE	138
FILET DE BOEUF, RAVIOLES FORESTIÈRES À LA MOUTARDE VERTE	145
LIÈVRE BRAISÉ AUX AROMATES EN CROÛTE FEUILLETÉE	132

FROMAGES	55

DESSERTS

DOME DE CHOCOLAT NOISETTES AU JUS DE MANDARINE ET PRUNEAUX	60
REINE DES REINETTES EN GRATIN AUX AMANDES ET COULIS DE SUZETTE	60
SOUFFLÉ GLACÉ AU CAFÉ ARABICA	55
MOELLEUX CHAUD AU CHOCOLAT FONDANT (10 mn d'attente)	60
SYMPHONIE DE GLACES ET SORBETS AUX FRUITS FRAIS	58
CRÈME BRÛLÉE AU THÉ EARL GREY, SORBET AU CITRON VERT	58
ANANAS FRAIS RÔTI CARAMELISÉ	55
SABLÉ CROQUANT AUX AMANDES ET SA FRICASSÉE DE MARRONS CONCASSÉS AUX RAISINS	58

SERVICE 15 % SUR LE PRIX HORS TAXES COMPRIS

NOS SUGGESTIONS SELON LA SAISON ET LE MARCHÉ

entrées du	SALADE DE POULE FAISANE, VINAIGRETTE BALSAMIQUE	78
marché	TERRINE DE GIBIER ET PAIN DE CAMPAGNE GRILLÉ	77
plats du	BAR RÔTI A LA PEAU, FENOUIL ET OIGNONS GLACES	130
	SOURIS D'AGNEAU AU PISTOU, GNOCCHI ET OLIVES NIÇOISES	125
marché	FORESTIÈRE DE PERDREAU ET SON LOBE DE FOIE GRAS POELÉ	150/pers.
	(pour deux personnes)	
Dessert	PROFITEROLES A LA VANILLE, SAUCE CHOCOLAT AMER	58

NOTRE MENU DE LA SEMAINE   195

CRÈME DE POTIRON AUX LARDONS ET PETITS CROÛTONS
ou
RAVIOLES DE PETITS GRIS AUX CHAMPIGNONS SAUVAGES
ou
BUISSON DE HARICOTS VERTS ET FOIE GRAS FRAIS

SAUCISSE DE CANARD CONFITE AUX HARICOTS DE TARBES
ou
ETUVEE DE POISSONS AUX MOULES, POMMES SAUVAGES AUX CEPES
ou
AGNEAU DE LOZÈRE, TUILE AUX FINES HERBES
ET HARICOTS BLANCS A LA CRÈME D'AIL

DESSERT AU CHOIX

CAFE ARABICA	15
EAU MINERALE	30

Demandez la sélection de notre sommelier

7

LE SUD-OUEST

La truffe et le foie gras

Toutes les régions de France ont leurs spécialités culinaires, mais le Sud-Ouest est certainement la région la plus riche sur le plan gastronomique.

Le foie gras aux truffes, et le confit de canard accompagné de pommes de terre à la sarladaise (rissolées à la graisse d'oie) le tout arrosé d'un vin de Bordeaux composent un menu particulièrement savoureux et riche en calories.

Le Sud-Ouest illustre parfaitement le « paradoxe français » : la population a une nourriture très riche en graisses animales, or, c'est dans cette région que les gens vivent le plus vieux et ont le taux de cholestérol le plus bas de France !

La région de Toulouse est célèbre pour son cassoulet, un plat de haricots blancs, de charcuterie et de confit d'oie ou de canard.

9 *Gésiers en salade*

8 *Truffes et foie gras*

10 *Cassoulet*

LE SUD-EST

L'ail et l'huile d'olive

La cuisine provençale est composée essentiellement des fruits et légumes cultivés dans le Sud-Est de la France.

Les tomates, les courgettes, les aubergines, les poivrons, qui composent la ratatouille, poussent en abondance dans cette région très ensoleillée.

En été, la salade niçoise est un plat rafraîchissant et complet. Elle peut varier, mais on y trouvera le plus souvent des tomates, des haricots verts, de la salade verte, du thon, des œufs durs et des olives, le tout assaisonné d'une sauce vinaigrette à l'huile d'olive.

La bouillabaisse est une soupe à base de divers poissons bouillis, accommodés à l'ail, au safran et à la tomate. Elle se mange avec de la rouille, une sauce pimentée.

L'aïoli est un plat de légumes et de poisson, le plus souvent de la morue, servi avec une mayonnaise à l'huile d'olive relevée d'ail.

La cuisine provençale est parfumée aux herbes aromatiques comme le thym, le romarin et le laurier. Elle se marie très bien avec un rosé de Provence bien frais.

11 *Bouillabaisse*

12 *Olives entières et en « tapenade »*

L'OUEST

Le beurre et la crème fraîche

La Normandie se distingue par la qualité de sa crème fraîche, utilisée dans de nombreux plats et par ses fameux fromages comme le camembert, célèbre dans le monde entier.

Le cidre et les crêpes

La Bretagne est particulièrement réputée pour ses poissons et ses fruits de mer qu'elle exporte dans tout le pays. Les huîtres, que l'on mange crues, les coquilles Saint-Jacques, les moules, les crustacés comme les homards, les crevettes, etc., y sont d'excellente qualité.

Les crêpes bretonnes, salées ou sucrées, sont célèbres et s'accompagnent de cidre, une boisson légèrement alcoolisée à base de pommes.

13 *Cidre et crêpes*

14 *Soupe du pêcheur*

Le chou et le lard

En Alsace, la cuisine se compose souvent de charcuterie. Ce terme regroupe différents produits préparés avec du porc, par exemple, des saucisses, du jambon, du lard, etc.

La choucroute, du choux fermenté, enrichie de charcuterie et de pommes de terre, est un des plats traditionnels les plus connus.

Autre plat traditionnel, la quiche lorraine, une tarte chaude garnie d'œufs et de lardons.

La bière et le vin blanc

Dans ces régions, on boit surtout de la bière mais le vin d'Alsace, un vin blanc et fruité, est très apprécié des connaisseurs. Il peut être sec ou doux, mais il se boira toujours très frais.

15 *Choucroute*

16 *Secs ou doux, blancs ou rouges, les vins d'Alsaces se reconnaissent à la forme élancée de leur bouteille.*

LA TABLE ET LA SANTÉ

17 *Contrôle de produits alimentaires*

Les consommateurs recherchent de plus en plus une alimentation saine et les produits « bios » (biologiques) ou labellisés se vendent de mieux en mieux (30 % de croissance par an pour les produits bios alors que 0,2 % de la surface cultivée française est utilisée pour l'agriculture biologique).

Ces produits sont très sérieusement contrôlés par des organismes indépendants et officiels. S'ils répondent aux critères définis, ils obtiendront un label.

Label AB : (agriculture biologique) : il garantit la qualité du produit vendu.

Label rouge : il s'agit d'un label national qui certifie une qualité supérieure du produit mesuré.

COMMENT FAIRE ?

• Le vin rouge doit être à la température ambiante de la pièce. Ne le laissez pas dans la cuisine car la température y est souvent trop élevée.

• Le vin blanc et le vin rosé doivent être servis frais.

POUR EN SAVOIR PLUS

Le vin

• La consommation moyenne de vin par habitant est en constante diminution alors que la consommation d'eau augmente. En revanche les jeunes de 12 à 18 ans boivent de plus en plus, en particulier de la bière.

• VDQS : Vin délimité de qualité supérieure, il s'agit d'un vin de très bonne qualité.

• AOC : Appellation d'origine contrôlée, elle s'applique aux produits de qualité dont l'origine régionale est garantie (vins, fromages, beurre, crème …)

• Vin de pays : Il permet toutes les surprises, il peut être excellent ou médiocre.

18 *Vendanges dans le Beaujolais*

LES BONNES MANIÈRES

Quand on est invité chez des gens, il est convenable d'offrir un bouquet de fleurs à la maîtresse de maison, ou une bonne bouteille de vin.

Lorsque l'on passe à table, après y avoir été invité par la maîtresse de maison, on doit attendre qu'elle commence à manger pour faire de même.

Essuyer son assiette avec son pain n'est pas très élégant, de même que nouer sa serviette autour du cou.

Le poulet et les autres volailles ne se mangent pas avec les doigts, sauf si la maîtresse de maison vous invite à le faire.

S'il y a deux verres, le plus petit est réservé au vin et le plus grand à l'eau. Il est impoli de couper son vin avec de l'eau.

S'il y a deux couteaux, celui qui ne coupe pas est réservé au poisson.

COMMENT FAIRE ?

• Ne mettez jamais de glaçons dans un bon vin !

Le pain, coupé en tranche, accompagne tous les repas.

Vous le posez sur la nappe à côté de votre assiette et vous le couperez avec les doigts en petites bouchées.

Il vous sera très utile pour pousser vos aliments sur la fourchette, en particulier avec la salade !

Pour passer le pain à un convive, on le laisse dans sa corbeille, sans le prendre à la main.

En partant, n'oubliez pas de remercier votre hôte !

COMMENT FAIRE ?

• Pour déguster un fromage dans les meilleures conditions, il ne faut pas le mettre au réfrigérateur.

19 *Autour de la table*

Les repas de famille

La disparition du classique « entrée-plat-dessert », le triomphe des fast-food et de la nourriture insipide ! À en croire certains nostalgiques, la France aurait succombé, dans ce domaine-là aussi, à la mondialisation. Pas si vite ! Quatre salariés sur cinq continuent à déjeuner chez eux tous les jours. Quant au temps passé à table, il a un peu baissé depuis 1953 : une heure vingt, contre un peu plus de deux heures à l'époque. Mieux encore, le petit déjeuner est en passe de devenir un vrai repas, puisque les Français y consacrent désormais un gros quart d'heure, contre cinq minutes à peine en 1965.

Et si la part de l'alimentation dans le budget d'un ménage a effectivement baissé (33 % en 1960, 18 % actuellement), c'est avant tout en raison d'une modification des habitudes de consommation, à visée diététique : moins de pommes de terre, de pain, de sucre, moins de vin également, mais plus d'œufs, de yaourts et de surgelés. Dans ces conditions, les repas de famille ont encore de beaux jours devant eux...

V.O. L'Express, 3/06/99, n° 2500.

EXERCICES

VRAI OU FAUX ?

1. La semaine du goût est réservée aux enfants qui n'ont pas de goût.
2. A midi, il est très à la mode de manger avec ses doigts.
3. Le soir, la famille se retrouve autour de la table familiale.
4. La cuisine traditionnelle française est remplacée par la cuisine exotique.
5. Chaque région a ses spécialités culinaires.
6. Tous les restaurants français proposent des plats d'escargots ou de grenouilles.
7. Le vin est toujours compris dans le prix du menu.
8. « Faire un canard » signifie tremper un sucre dans le verre de digestif ou la tasse de café de son voisin.
9. On ne peut manger de la salade niçoise que dans la région de Nice.
10. Le porc est de la viande de cochon.

COMMENT DIRE ?

Si vous mangez de la viande rouge, on vous demandera : « Quelle cuisson ? »
Bleu signifie que la viande sera à peine cuite, *saignant*, qu'elle sera peu cuite à l'intérieur, *à point* que la viande sera bien (ou trop) cuite.

CORRIGÉ

1. faux – 2. faux – 3. vrai – 4. faux – 5. vrai – 6. faux – 7. faux – 8. vrai – 9. faux – 10. vrai.

PETITES ANNONCES

Métiers de bouche

Cherche boulanger qualifié, secteur Marseille Vieux-Port libre de suite pour remplacement.

Urgent. Cherche boucher confirmé pour tenir magasin centre commercial Plan de Campagne à compter du 1er avril.

À VOTRE AVIS

1. Comparez les trois principaux repas français avec ceux de votre pays.
2. Où déjeunez-vous à midi et comment est composé votre repas ?
3. Quel repas de fête préférez-vous et pourquoi ?
4. Trouvez trois arguments qui justifieraient « la semaine du goût ».
5. Comparez ce que l'on nomme « les bonnes manières » chez vous et en France.

PROVERBES ET DICTONS

- L'appétit vient en mangeant.
- Ventre affamé n'a point d'oreilles.
- Qui dort, dîne.
- Quand le vin est tiré, il faut le boire.

20 *Le pain peut prendre des formes très diverses*

SAVOIR OÙ FAIRE SES COURSES

Où peut-on acheter :

1. du jambon et du saucisson ?
2. du fromage ?
3. des produits d'entretien ?
4. des bonbons ou des chocolats ?
5. du pain et des croissants ?
6. des gâteaux ?
7. des poissons et des fruits de mer ?
8. du vin ?
9. des timbres ?
10. des fleurs ?
11. des plats cuisinés variés ?
12. de la viande de veau ou de bœuf ?

a) crémerie
b) pâtisserie
c) droguerie
d) bureau de tabac
e) boucherie
f) traiteur
g) caviste
h) confiserie
i) poissonnerie
j) boulangerie
k) fleuriste
l) charcuterie

21 *Le rayon charcuterie d'une grande surface.*

On peut acheter .... chez / dans / à la / au .... du / de la / des

22 *Le rayon des fruits et légumes*

La santé

L'état de santé de la population française est globalement satisfaisant puisque la France est le pays de l'Union européenne qui a l'espérance de vie la plus longue (74 ans pour les hommes et 82 ans pour les femmes) mais des inégalités subsistent.

En 1999, la France consacrait 10 % de son produit intérieur brut (PIB) aux dépenses de santé.

Le système actuel de protection sociale date de 1945. Son financement est assuré par les cotisations versées par les employeurs et les salariés. Les Français sont très attachés à leur système de protection sociale mais il est menacé par le déficit de la Sécurité sociale qui semble être un trou sans fond

---

COMMENT DIRE

« À votre santé ! » se dit avant de boire
« Bonne année et bonne santé » se dit pour présenter ses vœux pour la nouvelle année.

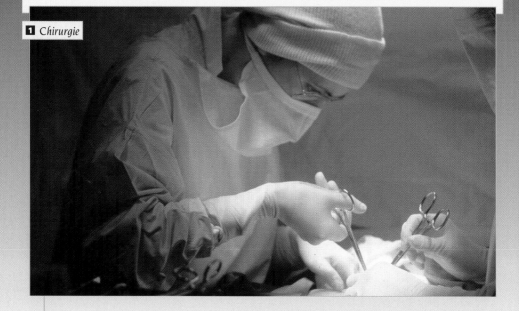

1 Chirurgie

LA MÉDECINE LIBÉRALE

Les études médicales

Après 8 ans d'études minimum, le médecin peut installer son cabinet où il le désire et travailler de manière indépendante.

70 % des médecins généralistes et 60 % des spécialistes choisissent cette possibilité. Les autres travaillent dans les hôpitaux gérés par l'Etat, les cliniques privées, les organismes sociaux.

Tous les médecins doivent prononcer le serment d'Hippocrate avant d'exercer leur profession (voir page 46).

Le médecin de famille

Quand ils sont malades, les Français peuvent consulter le médecin de leur choix (32 médecins pour 10 000 habitants). La grande majorité des Français ont un médecin de famille qui se déplace à domicile en cas de nécessité. En 2000, la consultation était de 22,86 € (150 F environ), payée directement au médecin qui remet alors une feuille de maladie que le patient enverra à son centre de Sécurité sociale. Il est ensuite remboursé de 20,57 € (135 F). Si des médicaments ou des analyses lui ont été prescrits, le patient enverra son ordonnance médicale à son centre de Sécurité sociale qui lui remboursera en partie le montant des soins (voir page 45).

86 % des assurés sociaux ont en plus une assurance complémentaire qu'ils paient chaque mois et qui compense en partie la différence entre le remboursement de la Sécurité sociale et le prix réel des soins.

Pour les maladies graves, la Sécurité sociale rembourse 100 % des soins.

Ce système est lourd à gérer, aussi le gouvernement essaie-t-il de mettre en place la carte Vitale, une carte à puce, (obligatoire à partir de 2000) et qui permet, par le biais d'une gestion informatique, une meilleure prise en charge des malades et un meilleur suivi médical. Cependant la carte Vitale a des difficultés à s'imposer auprès des médecins qui doivent bien sûr s'informatiser.

En cas de nécessité, le médecin généraliste orientera son patient vers un spécialiste, un hôpital public ou une clinique privée.

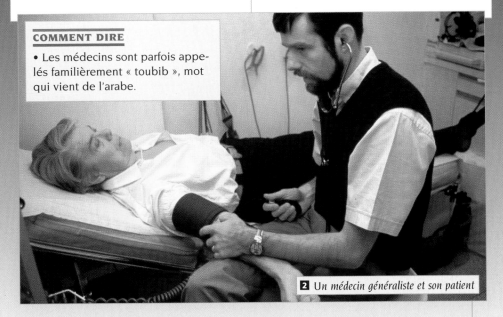

COMMENT DIRE
• Les médecins sont parfois appelés familièrement « toubib », mot qui vient de l'arabe.

2 *Un médecin généraliste et son patient*

LES HÔPITAUX ET LES CLINIQUES

L'hôpital : un service public

L'hôpital a pour mission d'accueillir de manière permanente et non discriminatoire tous les patients. Il doit assurer les urgences médicales, le SAMU (Service d'Aide Médicale d'Urgence), la prévention et l'éducation pour la santé et enfin la formation du personnel hospitalier dans les CHU (Centre Hospitalier Universitaire).

Il y a en France 1 000 hôpitaux publics, 1 500 cliniques privées et 1 500 établissements sanitaires et sociaux. Actuellement, la médecine hospitalière est en pleine restructuration. En effet, certaines régions à forte population manquent de lits d'hôpitaux alors que des régions sous-peuplées ont des lits inoccupés. Le gouvernement voudrait fermer certains services pratiquant un nombre insuffisant d'actes médicaux, mais il se heurte au mécontentement de la population.

L'hospitalisation

En cas d'hospitalisation le malade devra payer 12,19 € (80 F) de forfait hospitalier par jour pour les repas et la chambre. Certaines assurances complémentaires remboursent tout ou partie de ce forfait. Les cliniques privées qui ont signé une convention avec l'Etat donnent droit aux mêmes remboursements.

Les médecins hospitaliers

Si le nombre de médecins est largement suffisant pour la population, l'hôpital manque d'anesthésistes et d'obstétriciens. En effet, ces deux spécialités sont les plus exposées aux risques d'accidents opératoires et les chirurgiens craignent de plus en plus les procès pour faute professionnelle.

Les hôpitaux emploient 7 900 médecins titulaires d'un diplôme étranger soit 24 % de leurs effectifs.

COMMENT DIRE

• Les médicaments sont conditionnés sous diverses formes, aussi avant de vous rendre à la pharmacie, vérifiez que vous faites bien la différence entre un cachet, une pastille, une gélule, une ampoule, un flacon de sirop, un suppositoire ou un tube de pommade !

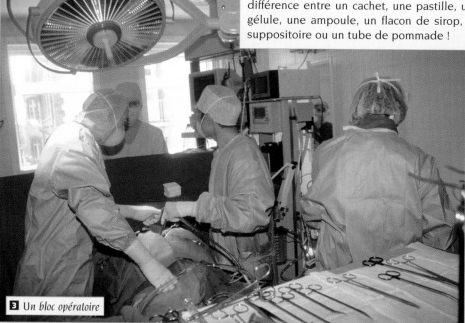

3 *Un bloc opératoire*

LA MÉDECINE À VOCATION SOCIALE ET PRÉVENTIVE

La médecine du travail

Tous les salariés doivent obligatoirement passer une visite médicale annuelle auprès de la médecine du travail ; celle-ci est payée par l'employeur.

La protection maternelle et infantile

En ville, les communes ont des centres de santé où l'on peut rencontrer des médecins et faire vacciner gratuitement les enfants.

LE SAVIEZ-VOUS ?

Environ 37 % des Français présentent un surpoids et plus de 8 % sont atteints d'obésité. Les plus touchés : les 55-64 ans, les femmes, les personnes à faibles revenus, les artisans-commerçants et les habitants du Nord.

CFDT Magazine n° 238, juin 1998.

La médecine scolaire

Les collèges et lycées ont une infirmière en permanence ou à temps partiel dans l'établissement. Les enfants passent régulièrement une visite médicale auprès des services de médecine préventive qui pratiquent également les vaccinations obligatoires. Les infirmières scolaires ont la possibilité de délivrer aux élèves des collèges et lycées une « pilule du lendemain » qui est un contraceptif d'urgence qui agit dans les trois jours suivant un rapport sexuel. Cette décision ministérielle, destinée à prévenir les grossesses précoces, soulève de nombreuses polémiques.

Malgré tous ces dispositifs, on estime à 6 millions le nombre de personnes qui ne se soignent pas correctement par manque d'argent. En effet, certaines prestations comme les lunettes, les soins dentaires mais aussi quelques médicaments sont assez mal remboursés par la Sécurité sociale. Pour remédier à ce problème le gouvernement vient d'instituer la Couverture Maladie Universelle (CMU) qui permet à tous les démunis de bénéficier de soins gratuits.

INFIRMIÈRE LIBÉRALE Grenoble gare cherche remplaçante 10 à 15 jours par mois.
URGENT LABO ANALYSES MÉDICALES cherche infirmière temps partiel aménagé pour prélèvements labo et clinique.

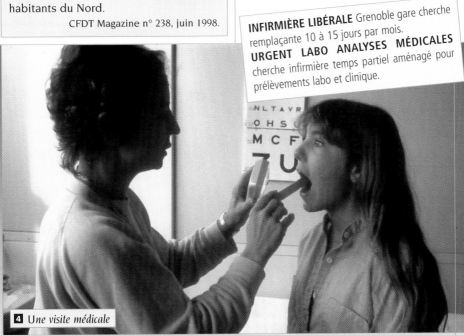
4 *Une visite médicale*

LES PRESTATIONS SOCIALES

Elles sont nombreuses et variées (voir les chapitres La famille et Au travail).

Les retraites

Toute personne âgée de 60 ans et ayant travaillé 40 ans peut percevoir une retraite à taux plein. Cependant de plus en plus de salariés sont en pré-retraite dès 55 ans en raison des problèmes actuels d'emploi. En effet, souvent un employeur préférera mettre des employés en pré-retraite s'ils ont au moins 55 ans plutôt que de les licencier car, dans ce cas, il peut bénéficier d'une aide de l'État.

La retraite à laquelle peut prétendre le salarié se compose d'une ou plusieurs retraites complémentaires et d'une retraite de base, payée par la Sécurité sociale car c'est cet organisme qui gère aussi les retraites du régime général.

Les indemnités journalières

En cas d'arrêt de travail pour cause de maladie, la Sécurité sociale verse au salarié des indemnités journalières qui compensent la perte de salaire.

LE SAVIEZ-VOUS ?

Les remboursements de la Sécurité sociale

• Près d'un Français sur deux a recours aux médecines alternatives comme l'homéopathie ou l'acupuncture. La plupart du temps, ces soins sont remboursés par la Sécurité sociale.
• L'accouchement et l'IVG (interruption volontaire de grossesse) qui sont remboursés par la Sécurité sociale, sont les premières causes d'hospitalisation.
• Vous pouvez bénéficier de la Sécurité sociale sans cotiser si vous êtes ayant-droit d'un assuré social (enfant, concubin, membre d'un couple signataire d'un PACS). Vous pouvez également en bénéficier si vous êtes demandeur d'asile, étudiant, travailleur saisonnier ou détenu !
• Les étrangers de l'Union européenne en visite en France peuvent bénéficier des mêmes soins que les Français, pour les autres pays il leur est conseillé de prendre une assurance dans leur pays d'origine.

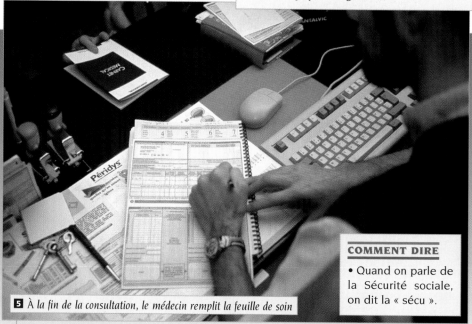

5 À la fin de la consultation, le médecin remplit la feuille de soin

---

COMMENT DIRE

• Quand on parle de la Sécurité sociale, on dit la « sécu ».

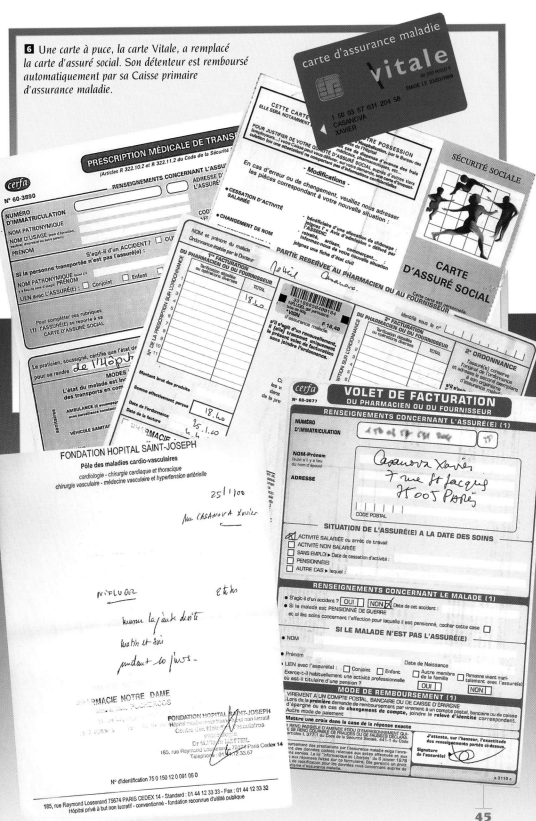

6 Une carte à puce, la carte Vitale, a remplacé la carte d'assuré social. Son détenteur est remboursé automatiquement par sa Caisse primaire d'assurance maladie.

Serment d'Hippocrate
Serment médical

« Au moment d'être admis(e) à exercer la médecine, je promets et je jure d'être fidèle aux lois de l'honneur et de la probité.

Mon premier souci sera de rétablir, de préserver ou de promouvoir la santé dans tous ses éléments, physiques et mentaux, individuels et sociaux.

Je respecterai toutes les personnes, leur autonomie et leur volonté, sans aucune discrimination selon leur état ou leurs convictions. J'interviendrai pour les protéger si elles sont affaiblies, vulnérables ou menacées dans leur intégrité. Même sous la contrainte, je ne ferai pas usage de mes connaissances contre les lois de l'humanité.

J'informerai les patients des décisions envisagées, de leurs raisons et de leurs conséquences. Je ne tromperai jamais leur confiance et n'exploiterai pas le pouvoir hérité des circonstances pour forcer les consciences.

Je donnerai mes soins à l'indigent et à quiconque me les demandera. Je ne me laisserai pas influencer par la soif du gain ou la recherche de la gloire.

Admis(e) dans l'intimité des personnes, je tairai les secrets qui me sont confiés. Reçu(e) à l'intérieur des maisons, je respecterai les secrets des foyers et ma conduite ne servira pas à corrompre les mœurs.

Je ferai tout pour soulager les souffrances. Je ne prolongerai pas abusivement les agonies. Je ne provoquerai jamais la mort délibérément.

Je préserverai l'indépendance nécessaire à l'accomplissement de ma mission. Je n'entreprendrai rien qui dépasse mes compétences. Je les entretiendrai et les perfectionnerai pour assurer au mieux les services qui me sont demandés.

J'apporterai mon aide à mes confrères ainsi qu'à leurs familles dans l'adversité.

Que les hommes et mes confrères m'accordent leur estime si je suis fidèle à mes promesses : que je sois déshonoré(e) et méprisé(e) si j'y manque. »

Préconisé par l'Ordre national des médecins, version en date de novembre 1995.

7 *L'école à l'hôpital*

LE SAVIEZ-VOUS ?

Des instituteurs et des professeurs se déplacent dans les hôpitaux et donnent quelques heures de cours aux enfants hospitalisés.

EXERCICES

1. Toute la famille doit consulter le même médecin.
2. La Sécurité sociale rembourse la totalité des frais médicaux.
3. L'hôpital ne ferme jamais.
4. Les hôpitaux sont chargés de la formation des étudiants en médecine.
5. La médecine du travail est gratuite.
6. La couverture maladie universelle est réservée aux personnes sans domicile.
7. Les retraites sont en partie payées par la Sécurité sociale.
8. Un médecin ayant un diplôme étranger ne peut pas travailler en France.
9. Les réfugiés politiques ne peuvent pas bénéficier de la Sécurité sociale.
10. Les ressortissants européens bénéficient d'une égalité de soins avec les Français.
11. L'IVG est un train très rapide.

TROUVEZ LE BON SPÉCIALISTE

Associez le nom du spécialiste à sa spécialité.

1. un dermatologue	est un spécialiste	a. de la bouche et des dents
2. un ophtalmologue	est un spécialiste	b. de la gorge
3. un oto-rhino-laryngologiste	est un spécialiste	c. des problèmes digestifs
4. un gastro-entérologue	est un spécialiste	d. des maladies des enfants
5. un cardiologue	est un spécialiste	e. de la peau
6. un phlébologue	est un spécialiste	f. du système nerveux
7. un neurologue	est un spécialiste	g. des allergies
8. un allergologue	est un spécialiste	h. du cœur
9. un pédiatre	est un spécialiste	i. des yeux
10. un stomatologue	est un spécialiste	j. des veines

8 *Enseigne et devanture d'une pharmacie*

LE SAVIEZ-VOUS ?

• Des extraits de plantes sont vendus dans les pharmacies, mais aussi dans les grandes surfaces et ce marché est en pleine extension.

• Pour ouvrir une pharmacie, il faut une autorisation administrative qui prend en compte le nombre de pharmacies par habitants.

• Depuis 1999, les pharmaciens peuvent remplacer le médicament prescrit par le médecin par un médicament générique moins cher et qui a les mêmes effets thérapeutiques.

Les loisirs

1 Montagne

Pour une certaine génération, il fallait « gagner sa vie à la sueur de son front » et le loisir récompensait le travail. Pour les moins de 40 ans au contraire le loisir fait partie de la vie quotidienne, il n'est plus considéré comme une gratification mais comme un droit fondamental. L'accroissement du temps libre, conséquence directe de la réduction du temps de travail et de l'allongement de l'espérance de vie, a profondément modifié les habitudes des Français en matière de loisirs.

2 VTT

PROVERBES ET DICTONS

• Les voyages forment la jeunesse.

3 *Nature*

VIVE LES VACANCES

Depuis 1982, les Français bénéficient d'une cinquième semaine de congés payés, à laquelle s'ajoutent les jours fériés, ce qui place la France en première position en Europe et vraisemblablement dans le monde pour la durée des vacances.

Qui prend des vacances ?

Bien que les écarts se réduisent, il existe encore de grandes différences de comportement en fonction des catégories sociales. Plus de 80 % des cadres et des professions libérales partent en vacances contre seulement 35 % des agriculteurs. Les jeunes de moins de 25 ans partent plus souvent que les adultes et sont plus attirés par les destinations étrangères.

Évidemment les citadins sont plus nombreux à partir que les ruraux.

LE SAVIEZ-VOUS ?

Vous pouvez bénéficier de tarifs réduits sur les voyages et les séjours en utilisant les services d'agences qui pratiquent la V.D.M (Vente de Dernière Minute). Ces services sont disponibles via le minitel et Internet.

La première des destination : la France

Dans l'ensemble les Français préfèrent la France ; leur lieu de prédilection est la mer, suivie de la montagne et de la campagne. C'est généralement le climat ou les retrouvailles familiales qui orientent le choix de la région. Le tourisme vert (avec les gîtes ruraux et le camping à la ferme) se développe ainsi que de nouvelles formules comme les weeks-ends à thèmes (initiation à l'informatique ou au chant choral par exemple), les voyages à la carte, les découvertes culturelles ou sportives. La formule « 3 S » des années 80 (Soleil, Sable, Sexe), a fait place à la formule « 3 A » (Activité, Apprentissage, Aventure).

10 % des vacanciers cependant se rendent à l'étranger, dans la plupart des cas en Europe ; leur destination favorite est l'Espagne. Hors l'Europe, c'est l'Afrique du Nord qui a leur préférence.

Les Français ne sont pas grands amateurs de voyages en groupe, ils font moins appel à des professionnels du tourisme que leurs voisins européens et c'est sans doute en partie à cause de leur caractère individualiste.

4 *Gîtes ruraux*

5 Raquette.

LES ACTIVITÉS SPORTIVES

L'accroissement de la pratique du sport est une conséquence de l'attention que l'homme moderne porte à son corps et à son équilibre. ; ainsi le sport est considéré par les Français comme un loisir plutôt que comme un moyen de compétition, la détente est plus importante que la performance.

C'est ainsi que se sont développés ces dernières années les sports de plein air ; en particulier la pratique de la randonnée à pied ou à vélo. Ces pratiques, dites douces, si on les compare aux « nouvelles gymnastiques » des années 80 qui tendent à disparaître, ont la faveur des plus de 65 ans et des femmes.

Les enfants influencés par les médias, les marques de vêtements et par l'image des grands champions s'intéressent de plus en plus au sport. Le développement des équipements sportifs a favorisé cet engouement.

Ski, surf ou raquette ?

Les sports d'hiver ne concernent qu'un Français sur 10. Le coût élevé que représente la pratique du ski en matière d'équipement et d'accès aux remontées mécaniques en fait un sport de privilégiés qui concerne essentiellement les cadres et les professions libérales.

Depuis le début des années 90 le surf des neiges a remplacé le ski chez les jeunes et les stations ont dû s'adapter à cette nouvelle clientèle.

On assiste à un développement du ski de fond et de la raquette ; ces sports sont moins coûteux et plus accessibles à une clientèle familiale qui recherche des petites stations aménagées dans des villages de montagne dont l'architecture a été préservée.

Ballon ovale ou ballon rond ?

Le grand événement sportif de l'année 98 et de l'histoire du sport national a été la victoire de la France à la coupe du monde de football. À cette occasion, on a pu se rendre compte que ce sport déjà très populaire et très médiatisé occupait une place particulière parmi les sports pratiqués en France.

6 Judo

4 Foot

8 Rugby

Alors que le football est présent sur l'ensemble du territoire français, le rugby est essentiellement pratiqué au sud d'une ligne La Rochelle /Bourg- en- Bresse avec une plus forte concentration dans le Sud-Ouest. Et pourtant leur audience à la télévision est comparable, ce qui est extraordinaire dans la mesure où le rugby compte huit fois moins de licenciés que le football.

Boule lyonnaise ou pétanque ?

Le jeu de boules est un sport très populaire (même parmi les jeunes) et très ancien qui se pratiquait déjà en France au XVIIe siècle. Il y a différentes sortes de jeux de boules, mais les plus répandus sont « la lyonnaise » et la pétanque. La boule lyonnaise se pratique essentiellement à Lyon, dans le Sud-Est, à Paris, en Provence et dans le Sud-Ouest. La pétanque, dérivée du jeu de boule provençal, a été créée en 1907 et ce sport (puisque les jeux de boules sont considérés comme des sports) occupe la quatrième place en France par le nombre des licenciés. Ces jeux suivent en gros les mêmes principes, mais se distinguent par la taille et le poids des boules ainsi que par les dimensions du terrain.

Jouer aux boules est à la portée de tout le monde et les parties de pétanque animent les places de villages les soirs d'été.

Tour de France cycliste

C'est un des événements sportifs les plus populaires. Il se déroule chaque année au mois de juillet et les cyclistes effectuent un circuit d'environ 3 000 km. Certains spectateurs n'hésitent pas à attendre plusieurs jours au bord des routes pour avoir la meilleure place et ainsi avoir la possibilité de voir passer, très vite, leur équipe favorite et le premier du classement général qui porte un maillot jaune. Une vingtaine de villes étapes hébergent les cyclistes, la caravane publicitaire du tour et de nombreux touristes. Pour ces villes le tour représente un apport financier important. La « grande boucle » se termine traditionnellement à Paris sur les Champs Elysées.

En 1998, des affaires de dopage ont porté un coup à l'enthousiasme que provoque le tour de France cycliste.

9 *Pétanque*

10 *Cyclisme*

LES ACTIVITÉS CULTURELLES

Les activités culturelles se confondent désormais avec les loisirs

Si l'on se réfère au nombre d'entrées dans les grands musées nationaux et au nombre de livres d'histoire, de philo et de politique qui sont vendus chaque année en France, on peut dire que la culture se porte bien. C'est en effet dans le domaine de la culture et des loisirs que les dépenses des ménages ont le plus progressé.

LE SAVIEZ-VOUS ?

L'automne : saison des prix littéraires

- Le prix Goncourt, créé en 1903, récompense chaque année un ouvrage en prose.
- Le prix Femina se caractérise par le fait que tous les membres du jury sont des femmes.
- Le grand prix du livre inter, attribué par France Inter, station de radio du service public, est décerné par un jury d'auditeurs soigneusement sélectionnés.

La lecture publique

La France fait un effort important dans le développement des bibliothèques municipales, des bibliothèques de quartier ou des médiathèques. L'accès est généralement gratuit ou très peu onéreux.

Il existe aussi des « bibliobus » qui vont à la rencontre des lecteurs dans les quartiers ou les localités qui ne disposent pas de bibliothèques.

Le livre

Le livre garde son image de valeur culturelle et la lecture n'est pas en péril chez les jeunes comme on a tendance à le penser. Les jeunes lisent plus que les personnes âgées et les femmes plus que les hommes.

Toutefois, l'audiovisuel et les outils multimedia ont changé la relation au livre et les éditeurs essaient de s'adapter en proposant des livres plus courts et moins chers.

11 *Une librairie*

Le livre de poche
ou le libre accès à la lecture
(Hachette, 1953)

En France, le premier livre de poche paraît en 1953. Le premier titre publié est *Kœnigsmark*, de l'académicien Pierre Benoit. Il sera suivi par les ouvrages de Colette, de Hemingway ou de Saint-Exupéry.

Le concept du petit format pas cher lancé par Hachette s'inspire de l'éditeur belge Marabout, qui donnera au monde le héros des ados des années 50, Bob Morane. Après quarante ans d'exercice, la tête du peloton des ouvrages en collection de poche reste occupée par Camus, avec *L'Étranger*, vendu à 7,5 millions d'exemplaires, devant Alain Fournier, avec *Le Grand Meaulnes* (4,5 millions). L'édition à petit prix a été récemment revisitée avec une formule encore plus populaire : le livre à 1,52 € (10 F).

L'Express du 3 au 9/6/99.

La presse

Si les livres continuent de se vendre comme par le passé, ce n'est pas le cas de la presse. La lecture des quotidiens a beaucoup diminué ces vingt dernières années. La France se situe, dans ce domaine, au bas de l'échelle en Europe : les quotidiens français et en particulier les quotidiens régionaux sont les moins achetés et les moins lus, probablement parce qu'ils sont très chers et mal adaptés aux attentes. Le premier quotidien français en termes de tirage est l'*Équipe*, un journal sportif, ensuite arrive le *Parisien*, journal régional, distribué sur Paris et sa proche banlieue. *Le Monde* et *Le Figaro* qui sont des grands journaux d'information n'arrivent qu'en troisième et quatrième position.

En revanche les Français sont de gros lecteurs de magazines ; en tête des hebdomadaires généraux, on trouve *Paris Match* et le *Nouvel Observateur*.

12 *La presse*

La radio

Les Français écoutent autant la radio qu'ils regardent la télévision (environ trois heures par jour).

Ils écoutent la radio le matin essentiellement entre 7h et 9h et ils considèrent que les informations données par la radio sont plus crédibles que celles données par la télévision.

RTL, station généraliste privée, devance France Inter, une des stations du service public gérée par Radio France.

LE SAVIEZ-VOUS ?

La radio

• Jusqu'en 1982 la radio était en France un monopole d'État ; c'est seulement depuis cette date que sont autorisées les radios commerciales privées qui représentent les deux tiers de l'audience.
• La loi oblige les radios à diffuser au moins 40 % de chansons françaises.

La télévision

D'une manière générale, les Français ne sont pas très satisfaits de leur télévision. Ils trouvent les programmes culturellement pauvres et la publicité envahissante.

Mis à part le câble qui ne compte que 8 % d'abonnés, il y a en France six grandes chaînes de télévision, trois appartiennent au service public (France 2, France 3, Arte / la Cinquième) et trois appartiennent au secteur privé (TF1, Canal + et M6)

LE SAVIEZ-VOUS ?

La télévision

• Arte est une chaîne culturelle franco — allemande qui diffuse ses programmes en français et en allemand ; Arte utilise à partir de 19h le canal de la "Cinquième" qui a une vocation éducative.
• Canal + est une chaîne à péage ; il faut disposer d'un décodeur pour la recevoir ; cependant elle émet en clair à certaines heures de la journée. Elle est essentiellement consacrée au cinéma et au sport. C'est le plus grand succès de télévision payante dans le monde depuis 10 ans.
• La redevance est une taxe annuelle qui sert à financer les chaînes publiques de télévision. La possession d'un poste de télévision entraîne automatiquement le paiement de cette taxe. En 1999 elle s'élevait à 113,42 € (744 F).

avec **RTL** MARSEILLE **101.4** FM

13 *Studio de radio*

Expo "1900" : l'Art nouveau au Grand Palais

Télérama

14 *Hebdomadaire culturel*

Le vélo à Paris

Osez !

Le dossier de notre supplément Ile-de-France

Le cinéma

Alors que la fréquentation des salles était en forte baisse, on assiste ces dernières années à une remontée encourageante. Cette reprise est sans doute due à l'amélioration des conditions de projection, à une programmation plus diversifiée et à des tarifs moins élevés.

43 % des Français ne vont jamais au cinéma ; malgré cela la France occupe, pour la fréquentation moyenne des salles, la première place dans l'Union européenne.

La majorité des spectateurs ont moins de 25 ans, un niveau d'instruction élevé et habitent en ville...

Les autres loisirs

Outre la mode, l'art de la table et les produits de luxe qui ont contribué de tout temps à la "grandeur" de la France, c'est sous l'impulsion d'André Malraux puis de Jack Lang, tous deux ministres de la culture, que la France trouve une nouvelle dimension culturelle.

Les arts plastiques occupent une place prédominante dans les loisirs des Français. Avec la création de Beaubourg (1977), celle du Musée d'Orsay ou du Grand Louvre à Paris, de nombreux musées d'art contemporain en province, les grandes expositions ou rétrospectives de peinture sont d'authentiques succès (plus de 20 millions de visiteurs par an).

L'art lyrique notamment avec l'Opéra Bastille ou celui de Lyon (1992), le Festival d'Avignon ou la Comédie Française pour le théâtre classique contribuent à ce rayonnement. La jeunesse n'est pas oubliée pour autant, des salles de concert ou de spectacle comme le Palais omnisports de Paris-Bercy (15 000 places) ou le Stade de France (85 000 places) permettent, outre le déroulement d'événements sportifs d'importance, l'organisation de concerts de musiques rock.

LE SAVIEZ-VOUS ?

• Le festival de Cannes existe depuis 1946, il a lieu en mai et il concerne les longs et les courts-métrages.
La récompense suprême décernée par ce festival est la palme d'or **15**.

16 *Affiche du festival de Cannes*

LE SAVIEZ-VOUS ?

• Depuis 1947, date de sa création par Jean Vilar (auteur et metteur en scène de théâtre) le festival d'art dramatique d'Avignon a lieu chaque année en juillet.

LE SAVIEZ-VOUS ?

Belle affiche au printemps de Bourges

Depuis près de vingt-cinq ans, le festival du Printemps de Bourges joue son rôle de défricheur de talents, mais n'a pas pour autant oublié le grand public. Cette année, l'affiche est particulièrement riche et variée avec, notamment, Alain Souchon, Louise Attaque, Cheb Mami, Adamo, Samia Farah... Le Printemps de Bourges, du 19 au 24 avril 2000

ALLER PRENDRE UN POT AU CAFÉ

Pour les Français qui ne partent pas en vacances, qui ne lisent pas, qui ne vont pas au cinéma et qui ne font pas de sport, il reste les cafés. Le café est un lieu populaire, un lieu de rendez-vous, un refuge et un confessionnal.

En bref, le café est une institution !

On peut boire, sur le zinc (au comptoir), un demi (25 cl de bière), un petit blanc (verre de vin blanc) ou un petit noir (café serré) ou savourer en terrasse un crème (café au lait) et des croissants en lisant le journal.

On peut y jouer aux cartes, au baby-foot ou au billard ; on peut faire mille choses dans les cafés puisqu'il existe des cafés-théâtres, des cafés littéraires, philosophiques, sociologiques et même des cybercafés.

17 *En terrasse*

18 *Un cybercafé*

LE SAVIEZ-VOUS ?

Le plus ancien café de Paris est le café Procope (13 rue de l'Ancienne Comédie) ; il a été ouvert en 1686 par un italien (Francesco Procopio) qui a introduit en France une boisson nouvelle : le café.

POUR EN SAVOIR PLUS

Les chèques-vacances

• Des ménages aux revenus modestes peuvent bénéficier de chèques-vacances.

• Créés en 1987 et financés en partie par les entreprises, ils peuvent-être utilisés pour payer des dépenses d'hébergement, de transport, d'activités sportives ou culturelles sur tout le territoire français (y compris les DOM-TOM).

La France et le sport

• Le ministère de la jeunesse et des sports a été créé en 1960 par Charles de Gaulle et confié à un alpiniste célèbre Maurice Herzog.

• Un Français sur cinq appartient à une fédération sportive. C'est le football qui a le plus grand nombre de licenciés, devant et dans l'ordre, le tennis, le judo, la pétanque, le basket, l'équitation, le ski et le rugby.

La vie associative

• Il existe plus de 800 000 associations en France (Loi 1901)qui emploient près de 3 millions de bénévoles et contribuent à l'encadrement ou à l'éducation de 12 millions de Français.

• La vie associative est présente dans tous les domaines de la vie quotidienne : le sport, la culture, l'éducation, les loisirs, la santé.

EXERCICES

VRAI OU FAUX ?

1. Le chèque-vacances est en partie financé par les entreprises.
2. Le rugby est un sport très peu médiatique.
3. La pétanque est un jeu de boules typiquement lyonnais.
4. La radio est un monopole d'état.
5. Le prix Femina récompense un auteur de sexe féminin.
6. « Le Monde » est le plus grand quotidien de France par son tirage.
7. La redevance est une taxe destinée à financer la télévision publique.
8. Les Français sont des grands lecteurs de quotidiens.
9. Le festival d'Avignon est un festival de musique classique.
10. L'Opéra Bastille, qui se trouve à Paris, date de la Révolution.
11. La majorité des Français prennent leurs vacances en août.
12. Quand les Français vont en vacances à l'étranger, ils choisissent en priorité l'Italie.
13. La production cinématographique française est la plus importante d'Europe.
14. La chanson française est le genre musical préféré des Français.
15. La moitié des Français jardinent
16. La France est championne d'Europe pour la durée des vacances.
17. TF1 est la chaîne de télé la plus regardée.
18. Les Français consacrent plus de temps à la « télé » qu'à la radio.
19. Les bibliobus sont des librairies ambulantes.
20. Le prix Goncourt est un prix littéraire

CORRIGÉ

1. Vrai. 2. Faux. 3. Faux, c'est un jeu d'origine provençale. 4. Faux, le monopole a été aboli en 1982. 5. Faux, les jurés sont des femmes. 6. Faux, c'est l'Équipe. 7. Vrai. 8. Faux. 9. Faux, c'est un festival de théâtre. 10. Faux, il a été inauguré en 1989. 11. Vrai. 12. Faux, c'est l'Espagne. 13. Vrai. 14. Vrai. 15. Vrai. 16. Vrai. 17. Vrai. 18. Faux, ils consacrent environ trois heures par jour à l'une comme à l'autre. 19. Faux, ce sont des bibliothèques ambulantes. 20. Vrai.

19 À la plage

POUR EN SAVOIR PLUS

L'appel de la plage

Rien ne les décourage, ni l'envahissement des plages ni les relents de crème solaire et de beignets gras. Les Français préfèrent la mer pour les vacances d'été. Le littoral attire 44 % de ceux qui prennent leurs congés hors de chez eux. Ils n'étaient que 28 % voilà trente-cinq ans. Les amateurs de campagne sont restés en nombre stable, autour de 30 %. Quant à la montagne, elle a davantage d'adeptes, mais les sommets restent encore peu fréquentés (16 %). Les résidences secondaires, fantasme des années 70, ne se sont pas beaucoup développées : elles n'hébergent que 11 % des vacanciers. Près de la moitié des séjours se déroulent en famille ou chez des amis. Les Français multiplient les congés de courte durée et partent plus souvent en hiver (40 % d'entre eux). Surtout pour faire du ski, car seulement 5 % d'entre eux vont profiter du soleil tropical. Une ombre dans ce tableau : 4 Français sur 10 ne peuvent, faute de moyens, partir en vacances. Un pourcentage inchangé depuis quinze ans.

L'Express, du 3 au 9/6/99.

L'argent

En 1356, le roi de France, Jean le Bon, battu par les Anglais à Poitiers est fait prisonnier. Pour payer sa rançon, on frappe une pièce où le roi est représenté à cheval. Cette rançon (payée en livres, monnaie en cours à l'époque) permet au roi de retourner « franc » (c'est-à-dire libre) dans son royaume. Ce nom est resté à la pièce, et par la suite, la livre sera souvent appelée « Franc ». C'est seulement en 1795 que la monnaie française a pris officiellement le nom de « Franc » alors que la Banque de France, créée en 1800 par Napoléon, est devenue le pilier du système monétaire français. En 1992, le traité de Maastricht institue l'Union Européenne et en 1995 le Conseil Européen de Madrid attribue un nom à la monnaie unique « l'Euro ». Le 1er janvier 2002 c'est l'introduction officielle des pièces et des billets et le premier juillet de cette même année, la disparition du Franc.

1 Livre dite « Franc »

2 Franc frappé en 1804 (an XI) sous Napoléon

3 Franc frappé en 1960 sous de Gaulle, dit « nouveau Franc »

L'ARGENT, LA CULTURE, ET LA MORALE

Par tradition judéo-chrétienne la culture française est un peu réservée par rapport à l'argent. L'argent n'est pas un sujet réellement tabou, cependant il n'est pas de bon ton, au cours d'une conversation, de parler de ses revenus, de mentionner la valeur ou le prix des choses.

Il n'est pas honteux de gagner de l'argent, c'est même légitime mais les Français, conscients des inégalités économiques sont parfois choqués par ce que dévoilent les médias sur les revenus de certaines personnalités du monde du sport, de l'art ou de la politique.

L'argent facile est suspect, d'autant plus que depuis quelques années des affaires de corruption impliquant des personnalités ont été mises à jour dans différents domaines.

LE SAVIEZ-VOUS ?

Fraude ou sport national ?

• Un pourcentage non négligeable de Français considère que certaines pratiques, bien qu'illégales, ne sont pas vraiment condamnables.
En voici quelques exemples :
– frauder en travaillant « au noir » ;
– faire « sauter » des contraventions ;
– tricher pour ne pas payer « la redevance télé » ;
– tricher sur les notes de frais ;
– ne pas payer dans les transports en commun.

PROVERBES ET DICTONS

• Bien mal acquis ne profite jamais.
• Plaie d'argent n'est pas mortelle.
• L'argent n'a pas d'odeur.

4 *Les derniers billets en Francs et leurs successeurs, en Euro.*

59

LES REVENUS

Le revenu (étymologiquement, ce qui revient à quelqu'un) est constitué non seulement de la rémunération du travail mais aussi du revenu du patrimoine et des prestations sociales. Celles-ci (allocations familiales, indemnités de chômage, d'accident ...) représentent plus du tiers du revenu des Français). Pour connaître les ressources réelles des ménages, il faut déduire de toutes ces rentrées d'argent l'impôt sur le revenu, l'impôt foncier, les cotisations sociales. On s'aperçoit alors que les Français reversent pratiquement la moitié de leurs revenus à l'État.

Les impôts

L'impôt sur le revenu est le plus faible d'Europe. Le seuil de non-imposition est très élevé (2,5 fois plus que chez nos voisins) et près de la moitié des foyers fiscaux ne paient pas d'impôts sur le revenu.

En revanche, les impôts indirects, comme la TVA (Taxe à la Valeur Ajoutée) qui est pour de nombreux services et produits de 19,6 %, la taxe sur l'essence ou le tabac, sont parmi les plus lourds d'Europe.

5 *Les petites coupures en Euro*

EN CHANSON

Le Fric

Un jour il inventa l'argent
Ce démon très intelligent
Qui sut comprendre le premier
La valeur d'un bout de papier
Ce démon était un banquier
Et depuis dans le monde entier
L'argent circule et fait des bulles
Gardez votre monnaie, la quête est terminée
Car d'un commun accord, c'est demain l'âge d'or

Extrait de « Le Fric », Les Frères Jacques

COMMENT FAIRE ?

Est-il obligatoire de laisser un pourboire ?

• Le pourboire, qui est une somme d'argent (en général des pièces de monnaie), remise à titre de récompense par le client à un travailleur salarié, n'est jamais obligatoire ; il ne faut pas le confondre avec le service qui doit être compris dans le prix affiché.

Bien que ce ne soit pas obligatoire, l'usage est de laisser un pourboire au chauffeur de taxi, chez le coiffeur, au restaurant, à un guide touristique, à l'ouvreuse dans les cinémas ou les théâtres....

Le pouvoir d'achat

Pendant la période des « Trente Glorieuses » (c'est ainsi qu'on appelle les trente années de croissance économique qui ont suivi la Seconde Guerre mondiale), la grande majorité des Français se sont plus enrichis que pendant tout le siècle précédent alors que la durée moyenne annuelle du travail diminuait. Entre 1970 et 1990 le pouvoir d'achat des ménages a progressé de 60 %. Depuis 1990, la croissance se poursuit mais à un rythme plus faible.

Cette croissance n'a pas pour autant gommé les inégalités et actuellement le nombre de personnes considérées comme pauvres dans la société française est estimé à 12 % et ce sont les familles monoparentales qui sont les plus exposées à la pauvreté.

Le budget des ménages

Les dépenses des Français se répartissent ainsi : la part du budget consacrée au logement est la plus importante ; viennent ensuite les dépenses d'alimentation, de transports et communication, puis les dépenses pour les services médicaux et de santé qui représentent 10 % du budget et enfin l'habillement et les chaussures, poste de dépense le moins important.

Bien entendu, la répartition du budget n'est pas la même pour tous les ménages : elle varie en fonction de la catégorie sociale, de la composition des ménages et du lieu d'habitation.

En effet, les ouvriers dépensent plus d'argent pour l'alimentation que les classes moyennes, les célibataires consacrent une part importantes de leur budget aux loisirs, à la culture et à l'achat de vêtements ; quant aux Parisiens, ils dépensent deux fois plus pour leurs sorties que les provinciaux, mais il faut ajouter que les salaires à Paris sont plus élevés qu'en province.

6 *Supermarché*

Être libre, c'est consommer

Quelle est la sortie préférée des Français chaque samedi après-midi ? Une balade en forêt ? Une visite au musée ? Non, c'est une virée au supermarché. Ces monstres de la distribution qui prolifèrent depuis les années 60 constituent les vitrines du bonheur par la consommation. « J'achète, donc je suis. » Symbole de l'abondance, le chariot, caddie pour les intimes, est mis en circulation en France en 1957 par une société alsacienne, la firme Joseph. Hier gratuit, aujourd'hui payant (mais remboursable), l'instrument incontournable du shopping de masse est décliné dans différents formats, selon la surface commerciale à parcourir. Au client ensuite de s'assurer de ne pas avoir oublié sa carte de crédit [...]. Lancée par l'organisation Carte bleue en 1971, elle est devenue, en 1992, grâce à sa puce intégrée, un compte bancaire ambulant. Et si certains continuent de l'appeler Carte « bleue », c'est parce qu'ils oublient qu'elle existe en version « or », réservée à l'élite. La « gold » est [...] une manière de classer son homme dès l'ouverture du porte-carte.

L'Express, 3 juin 99.

LES JEUX D'ARGENT

Depuis Napoléon, les jeux d'argent sont théoriquement interdits en France mais l'État s'en est donné le monopole et peut accorder des dérogations à des entreprises privées comme les Casinos.

Les Français jouent, l'État gagne !

Les machines à sous, appelées aussi bandits manchots, sont autorisées depuis 1988 sous certaines conditions. 50 % des gains sont prélevés par l'État.

Les deux tiers des Français qui savent pourtant que « l'argent ne fait pas le bonheur » jouent au moins une fois par an à des jeux d'argent. Ils ont à leur disposition une quinzaine de jeux dont le tiercé qui consiste à parier sur des courses de chevaux. Les plus récents sont les jeux instantanés dits de « grattage » comme le Solitaire, le Banco ou le Tac-O-Tac.

7 *Tiercé*

8 *Une grille de Loto*

EXERCICES

VRAI OU FAUX ?

1. Le montant de la TVA est de 15, 6 %.
2. Le pourboire est obligatoire au restaurant.
3. Les jeux d'argent sont un monopole d'État.
4. La carte à puce est une invention française.
5. Les impôts sur le revenu sont prélevés à la source.
6. La poste propose un compte-chèque qui est l'équivalent d'un compte bancaire.
7. Le marchandage est une pratique courante dans les magasins traditionnels.
8. En 1999, la dépense moyenne pour les jeux d'argent est estimé à 200 € (environ 1 500 F) par an et par Français.
9. C'est pour l'alimentation que les Français dépensent le plus d'argent.
10. Un S.E.L est une sorte de troc organisé.
11. Autrefois le pourboire s'appelait le pour-manger.

CORRIGÉ

1. Faux : 19,6 % – 2. Faux : c'est un usage – 3. Vrai – 4. Vrai – 5. Faux – 6. Vrai – 7. Faux – 8. Vrai – 9. Faux : c'est pour le logement – 10. Vrai – 11. Faux

Pour une poignée de noix...

Depuis 1994 existe en France, dans 44 départements, une organisation rationnelle du troc appelée S.E.L (Système d'Echange Local) pour ceux qui considèrent que la vraie richesse n'est pas l'argent mais la disponibilité et les compétences. Chacun en fonction de son âge, de sa formation et de sa situation sait faire quelque chose et peut consacrer une partie de son temps à échanger ce savoir sous forme de services et de biens.

Un S.E.L est constitué d'un groupe de quelques dizaines ou quelques centaines de personnes qui font des échanges par le biais d'une monnaie fictive et locale, par exemple la noix, l'épi, le grain ou le caillou selon les régions. Chacun est titulaire d'un compte géré informatiquement. Hervé remet ainsi en état la voiture de Daniel contre trois cents unités de monnaie locale. Daniel est débité de trois cents unités de compte et Hervé, crédité d'autant. Daniel devra à son tour proposer un service ou un bien pour solder son compte. La valeur des échanges est décidée d'un commun accord.

Les S.E.L sont nés d'une réflexion sur la monnaie et d'un fort désir de solidarité.

9 *Un échantillon des nombreux jeux de « grattage »*

63

Se loger

Pendant longtemps la France a été un pays essentiellement rural et agricole. A partir de 1850 le nombre des agriculteurs a commencé à diminuer. Les deux guerres mondiales ont interrompu cet exode rural qui a recommencé autour de 1950 au profit de Paris, de sa banlieue et des grandes villes industrielles. Le rapatriement des Français d'Algérie après l'indépendance de ce pays en 1962 et l'arrivée de très nombreux travailleurs immigrés ont contribué à une très forte croissance urbaine. Ce phénomène a transformé les habitudes des Français en matière de logement.

En 1850, 85 % de la population habitait à la campagne alors qu'actuellement la même proportion habite en ville.

1 *Habitat urbain ancien*

2 *Maison de campagne* **3** *Lotissement*

LA CONSTRUCTION IMMOBILIÈRE

Entre 1950 et 1970, pour faire face à l'augmentation de la population urbaine, on a construit de manière industrielle à la périphérie des grandes villes et l'on a vu apparaître des « grands ensembles », concentration de très grands immeubles, souvent mal conçus, de mauvaise qualité et implantés dans des zones sans vie appelées banlieues-dortoirs.

À partir de 1970, on a abandonné peu à peu les grandes tours de béton et on a construit des immeubles plus petits, de meilleure qualité. S'est développé également la construction de maisons individuelles et de villages « pavillonnaires ».

Dès les années 80, avec l'apparition de la crise économique, la croissance va diminuer.

On assiste depuis une vingtaine d'années à un retour vers la campagne favorisé par le développement des moyens de communication, le coût élevé du prix de l'immobilier dans les grandes villes et la mise en place de la décentralisation économique et administrative vers les régions.

2 pièces vente

Maréchal Juin.
2 P. 31m² 6e
asc. imm. réc.
cuis. équip.
Sdb. calme très
clair parquet
charges faibles
prox. école et
commerces.
64 790 €.

EN CHANSON

Comme un arbre dans la ville
J'ai grandi dans le béton
Coincé entre deux maisons
Sans abri, sans domicile
Comme un arbre dans la ville
Catherine et Maxime Le Forestier

4 HLM

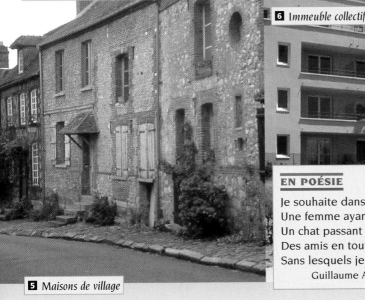

6 *Immeuble collectif*

5 *Maisons de village*

EN POÉSIE

Je souhaite dans ma maison :
Une femme ayant sa raison,
Un chat passant parmi mes livres,
Des amis en toute saison
Sans lesquels je ne peux pas vivre
Guillaume Apollinaire, « Le chat », *Alcools*.

LE LOGEMENT

Plus d'un ménage sur deux est propriétaire de sa résidence principale et la moitié de ces ménages ont contracté un emprunt pour accéder à la propriété.

La proportion de Français qui disposent d'une résidence secondaire est la plus élevée d'Europe après la Norvège et la Finlande. Dans la plupart des cas, il s'agit d'une maison et d'un jardin.

La surface d'un appartement est aujourd'hui en moyenne de 66 m^2 et de 103 m^2 pour une maison individuelle.

À quoi rêvent les Français ? D'une maison, à la campagne ou dans un quartier calme à la périphérie d'une grande ville.

COMMENT FAIRE ?

Pendre la crémaillère

• Lorsqu'on emménage dans un nouveau logement, il est d'usage de « pendre la crémaillère ». À cette occasion, on organise un apéritif, un dîner, ou une fête qui est une sorte d'inauguration du domicile.

Les logements sociaux

Environ 15 millions de personnes sont logées dans des Habitations à Loyer Modéré (H.L.M).

Les HLM permettent aux personnes qui ont des ressources modestes de se loger à moindres frais. L'attribution d'un logement HLM dépend du montant des revenus et la demande se fait à la mairie du domicile ou auprès d'un organisme HLM.

Une grande partie des locataires d'HLM sont ouvriers, employés, personnels de service ou retraités.

Le confort

En 30 ans, le niveau de confort des logements en France s'est considérablement amélioré.80 % des résidences principales disposent maintenant d'une salle de bain ou d'une douche, de WC intérieurs et de chauffage central ; c'est à la campagne que l'on trouve les logements les plus inconfortables.

Manuela loue pour vivre et achète pour louer

Juriste indépendante, Manuela et son mari, fonctionnaire, louent dans le 18e à Paris un 90 m^2 à 990,85 € (6 500 F) par mois. « Je m'inquiétais pour ma retraite, et continuer à payer un loyer ne me semblait pas raisonnable. J'ai donc d'abord voulu acheter pour habiter, mais je ne pouvais pas investir plus de 91 463 € (600 000 F), ce qui équivalait à une surface de 45 m^2 maximum : le sacrifice, en termes de qualité de vie était trop important. C'est un expert immobilier de l'Immobilière Marcadet, Laurent Akil, qui m'a conseillé de rester locataire de ma résidence principale et d'acheter dans le 18e une petite surface pour la louer. J'ai donc choisi un 2 pièces de 32 m^2 à rénover complètement au 2e étage sur rue et cour, rue Eugène-Sue, près du métro Jules-Joffrin, pour 42 685 € (280 000 F). » Les prix du 18e le permettant, Manuela réfléchit à acheter aussi un studio de 18 m^2, avec confort, rue de Clignancourt pour 21 342 € (140 000 F) peut-être, en profitant des avantages de la loi Besson. « J'emprunte la plus grande part – j'ai 1/3 d'apport personnel –, et j'ai l'intention de proposer des loyers raisonnables qui combleront les mensualités. Ce sera le complément de retraite idéal. » Y. L. G.

Le Nouvel Observateur du 31 mars 1999.

7

L'aménagement

La cuisine est une pièce essentielle puisque la plupart des Français y prennent leurs repas et de ce fait elle s'agrandit et est de mieux en mieux équipée ; c'est un lieu de convivialité.

La salle de bains est l'objet de toutes les attentions, au-delà de sa fonction hygiénique, c'est un lieu de détente où l'on s'occupe de soi et où l'on préfère prendre des douches que des bains.

Les toilettes sont séparées de la salle de bains.

L'équipement

Presque tous les logements sont équipés d'un réfrigérateur, d'une cuisinière ou d'un lave-linge ; en revanche le lave-vaisselle et le sèche-linge arrivent en queue du gros électroménager.

La décoration

Les Français préfèrent les meubles de style rustique ou ancien, le parquet à la moquette et dépensent moins d'argent en fleurs et plantes vertes que leurs proches voisins européens.

Le budget

Les Français consacrent près du tiers de leurs revenus à leur logement, à son équipement et à son entretien.

L'occupant d'un appartement doit payer une taxe d'habitation et chaque propriétaire une taxe foncière. Si vous habitez un appartement dont vous êtes propriétaire vous êtes redevable de ces deux impôts dont le montant dépend, entre autres, des caractéristiques du logement.

La taxe d'habitation et la taxe foncière sont des impôts locaux perçus au profit des communes, des départements et des régions.

Des organismes sociaux peuvent accorder sous certaines conditions des aides financières comme l'allocation logement, le prêt à l'amélioration de l'habitat ou une prime de déménagement.

9 *Salon*

8 *Cuisine*

RÉNOVATION *Devis gratuit*
- Peinture, tapisserie, carrelage, plâtrerie
- Petits travaux de plomberie
- Revêtement sols souples
- Plomberie, électricité
- Pose de parquet

10 *Salle de bain*

67

LES ESPACES URBAINS

Le centre ville des grandes cités est de plus en plus consacré aux affaires et au commerce bien qu'on y trouve encore quelques quartiers bourgeois et aussi des quartiers anciens, promis à la rénovation, où vivent souvent des personnes âgées, des ménages à faibles ressources.

La banlieue, où logent de nombreux travailleurs immigrés et leurs familles, des jeunes à la recherche d'un premier emploi, des chômeurs, est, dans certaines villes, un sujet d'inquiétude pour les pouvoirs publics. On parle du mal des banlieues, de quartiers en difficulté pour évoquer le malaise social qui y est attaché ; à l'opposé on trouve des banlieues « chic » où résident les catégories sociales les plus favorisées.

Des lotissements appelés par les urbanistes « villages pavillonnaires » (*ci-contre* **11**) sont apparus aux abords des villes et permettent « aux Français moyens » de satisfaire leur désir de maison individuelle.

CHATS. Donne contre bons soins jeune chatte tigrée, très douce, vaccinée, stérilisée. Jardin impératif.

11

12 *Grands ensembles et pavillons*

EXERCICES

VRAI OU FAUX ?

1. 50 % des Français habitent en ville.
2. La taxe d'habitation est payée par les locataires.
3. A Paris le prix moyen des appartements anciens est de 2 744 € le m^2 (18 000 F).
4. On peut-être expulsé de son domicile à tout moment si l'on ne paie pas son loyer.
5. La surface moyenne d'un appartement est d'environ 100 m^2.
6. Un grand ensemble est une zone de petites maisons situées dans la banlieue.
7. SDF est une association qui milite pour le droit au logement.
8. HLM signifie Habitation à Loyer Modéré.
9. 75 % des Français et des Françaises bricolent dans leur maison.
10. Les gens du voyage n'ont pas de logement fixe.

CORRIGÉ

1. Faux : 75 % – 2. Vrai – 3. Vrai – 4. Faux – 5. Faux : 66 m^2 – 6. Faux : une concentration d'immeubles – 7. Faux : désigne les personnes « Sans Domicile Fixe » – 8. Vrai – 9. Vrai – 10. Vrai.

POUR EN SAVOIR PLUS

• Les Français sont-ils casaniers ? En tous cas ils détiennent le record du monde d'achat de pantoufles !

• Les Français protègent leur intimité ; ils mettent des volets et des rideaux à leurs fenêtres, des clôtures à leur jardin et ils se protègent avec des gros chiens, des gros verrous et des portes blindées plutôt qu'avec des systèmes d'alarme électronique, ce qui n'empêche pas les nombreux cambriolages.

• En France, si vous ne payez pas votre loyer, vous risquez d'être expulsé de votre domicile sauf entre le 1er novembre et le 15 mars car la loi l'interdit.

• Parallèlement à la crise économique est apparue une grave crise du logement et on estime à plus de 500 000 le nombre de SDF (personnes Sans Domicile Fixe). Cette situation critique engendre des réactions de solidarité sociale et la création de différentes associations qui militent pour le droit au logement.

PARTAGE. Recherche 2 co-locataires pour partager avec étudiant 120 m^2 tt. confort, équipé meublé 1 seul Sdb. Paris centre 503,08 € (3 300 F) cc 2 mois caution.

LE SAVIEZ-VOUS ?

Les gens du voyage

• Une loi du 31 mai 1990 oblige les communes de plus de 5 000 habitants à prévoir le passage et le séjour des gens du voyage sur des terrains spécialement aménagés pour eux. La loi les autorise alors à interdire le stationnement sauvage sur le reste de la commune.

• Les gens du voyage doivent séjourner plus de trois ans sans interruption sur une même commune avant de pouvoir s'inscrire sur les listes électorales. Tous les trois mois, leur carnet de circulation est visé par la police ou la gendarmerie.

13 *Gens du voyage*

Se déplacer

La part de budget que les Français consacrent aux transports est de plus en plus importante mais l'essentiel de ces dépenses concerne le véhicule personnel. Les transports collectifs sont victimes de la place occupée par la voiture personnelle. L'usage de l'avion s'est développé, mais reste cependant limité. Les communes font de nombreux efforts pour promouvoir les transports publics (bus, métro, tramway, trolleybus) et la SNCF met en place une politique commerciale qui essaie d'attirer de nouveaux usagers en proposant une tarification et des services mieux adaptés.

1 *Tramway, à Grenoble*

2 *Le métro Météor, à Paris*

LES TRANSPORTS COLLECTIFS : BUS, TRAM, ET MÉTRO

Pour lutter contre la pollution et les embouteillages, les municipalités s'efforcent de développer les transports en commun. Pour encourager ce type de transport, des efforts sont faits sur la qualité du service : ponctualité, fréquence, vitesse, facilité des correspondances et information des voyageurs.

A Paris, la RATP (Régie Autonome des Transports Parisiens) expérimente la localisation des bus par satellite ce qui permet l'affichage automatique des arrêts et l'indication précise des arrivées prévues aux stations.

En province, des villes comme Grenoble et Strasbourg ont choisi de mettre en service un tramway, mode de transport silencieux, non polluant, accessible aux fauteuils roulants et aux poussettes de bébé.

Le métro des métropoles

Quelques grandes villes comme Lyon, Marseille et Paris disposent d'un métro. Le métro parisien est né en 1900 et comporte 325 stations.

L'architecte et décorateur Paul Guimard qui a imposé le style « Art Nouveau » dans l'architecture parisienne est devenu très populaire grâce aux entrées de métro qu'il a fait réaliser entre 1899 et 1904.

Dans le métro parisien, on estime à 7 %, le nombre des fraudeurs. Dans un avenir très proche, le traditionnel ticket de métro sera remplacé par une carte à puce. Le ticket électronique sans contact est actuellement testé en Île-de-France (*ci-dessous*).

4 *Ticket électronique*

3 *Affichage automatique*

Ville propre, le bus en avant !

RATP

MA RÉGION C'EST L'ÎLE-DE-FRANCE
Conseil régional

5 *Bus roulant au gaz*

24 Gare d'Austerlitz

LA VOITURE ET LE RÉSEAU ROUTIER

Parmi tous les modes de transport, la route tient une place croissante et l'automobile représente 90 % des trafics urbains. Le transport routier des voyageurs ou des marchandises est considéré d'ailleurs comme la cause principale de la pollution dans les grandes agglomérations.

Les Français adulent leur voiture. C'est le troisième poste de dépense des ménages (achat du véhicule, assurances, carburant, entretien, stationnement, péage d'autoroute) après l'alimentation et le logement.

Avec près d'une voiture pour deux habitants, la France se place au troisième rang de l'Union européenne derrière l'Italie et l'Allemagne.

Le permis de conduire

On peut passer et obtenir un permis de conduire à partir de 18 ans, cependant il est possible de conduire en présence d'un adulte et sous sa responsabilité dès l'âge de 16 ans. Pendant deux ans, les nouveaux conducteurs doivent placer à l'arrière de leur véhicule un signe figurant la lettre A.

Depuis 1992, le permis de conduire est un permis à points ; il comporte douze points et il peut vous en coûter quatre si, par exemple, vous « grillez » un feu rouge.

Le contrôle des véhicules

Les véhicules sont soumis à des contrôles techniques et à des contrôles anti pollution.

Une pastille verte et un autocollant blanc posés sur le pare-brise sont la preuve que les véhicules respectent les normes en vigueur.

6 *Circulation « fluide »*

PROVERBE

• Qui veut voyager loin, ménage sa monture.

EN CHANSON

Nationale 7

De toutes les routes de France, d'Europe
Celle que je préfère, c'est celle qui conduit
En auto, ou en auto-stop
Vers les rivages du midi
Nationale 7
Il faut la prendre qu'on aille à Rome à Sète,
Que l'on soit deux, trois, quatre, cinq, six ou sept
C'est une route qui fait recette
Route des vacances
Qui traverse la Bourgogne et la Provence
Qui fait de Paris un petit faubourg de Valence
Et la banlieue de St-Paul-de-Vence

Charles Trenet, *Nationale 7*.

Le code de la route

Le code de la route est une innovation française qui date de 1922. Il impose :
– de ne pas dépasser 90 km/h sur les routes nationales et départementales, 130 km/h sur les autoroutes ;
– d'attacher sa ceinture de sécurité ; c'est obligatoire à l'avant et à l'arrière ;
– d'asseoir les enfants de moins de 10 ans à l'arrière de la voiture.

> **AUTO MOTO.** Part vend cause dble emploi 205 XS 3 pte. rouge, mod. 92 7 cv. toit ouvt. cont. tech. ok, 107 000 km. 2 591,49 € (17.000 F)

En voiture tout le monde !

« On est heureux nationale 7 ». Après la guerre, la « route des vacances » devient le symbole d'une nouvelle liberté : celle des congés payés, mais aussi de l'automobile, qui, en se démocratisant, va bouleverser la vie quotidienne, les paysages, l'économie et la société française.

Objet de luxe en 1953 – une 4CV coûte alors environ vingt fois le salaire minimum, contre huit fois le Smic aujourd'hui pour une Twingo – la bagnole équipe désormais 80 % des ménages, contre 21 % à l'aube des Trente Glorieuses.

Le parc automobile a ainsi été multiplié par dix, passant de 2,7 à plus de 28 millions, et les femmes ne sont plus minoritaires au volant : 16 % possédaient leur permis en 1953, contre 45 % en 1988.

L'explosion de ce mode de transport s'est surtout produite au détriment du train, qui représentait 80 % du trafic voyageurs et 70 % du frêt à l'époque, contre 40 et 33 % actuellement.

Le réseau autoroutier, pratiquement inexistant en 1953, totalise aujourd'hui près de 8 000 kilomètres.

La seule chose qui n'ait pas vraiment changé, c'est le nombre de morts sur les routes : 8 000 en 1955, contre 8 437 en 1998…

L'Express, du 3 au 9 juin 1999.

Petite couronne

A1, A3, A4, A6, A13, A 15 : risques d'embouteil-

Paris

1. Place de la Bastille (XIe) et esplanade du château de Vincennes (XIIe) : à partir de 21 heures, rassemblement de motards.
2. Place d'Italie (XIIIe) : à partir de 22 heures, départ d'une randonnée de rollers dans les rues de la capitale.
3. Autoroutes A1, A2, A3, A4, A6, A13, A15 : risques d'embouteillages en raison des départs en week-end.

LE SAVIEZ-VOUS ?

- Le rétroviseur est une invention française qui date de 1906.
- La vignette, créée en 1956, est une taxe annuelle dont le montant est plus ou moins proportionnel à l'âge et à la puissance de la voiture.
- Sur les autoroutes, la pratique du péage est généralisée.
- Les hypermarchés vendent la moitié du carburant.
- Le dernier numéro des plaques d'immatriculation des voitures correspond au numéro des départements (de 01 à 95 pour la France métropolitaine). Ce numéro correspond aux deux premiers chiffres du code postal qui en comporte cinq.

VOYAGER EN TRAIN

La SNCF (Société Nationale des Chemins de Fer) a été créée en 1937. Elle ne représente qu'une petite partie des transports en France malgré la mise en service en 1981 du TGV (train à grande vitesse). Le TGV a pourtant constitué une révolution dans le monde des transports et a incité de nombreux Français à abandonner la voiture sur les longs parcours.

Il représente d'ailleurs la moitié du trafic de la SNCF et dessert près de 240 villes ; la ligne la plus célèbre est la ligne Eurostar qui emprunte le tunnel sous la Manche.

Sur des distances inférieures à 1 000 km, le TGV est plus rapide que l'avion, moins cher et plus confortable.

Des billets à prix réduit

Les salariés, les retraités, les pensionnés, les demandeurs d'emploi peuvent bénéficier, une fois par an, d'un billet « congé annuel » qui donne droit à une réduction de 25 % sur le prix d'un billet de 2ᵉ classe dans tous les trains. Les personnes voyageant par deux, les familles nombreuses, les personnes âgées et les groupes ont la possibilité de voyager à des tarifs préférentiels.

À la gare

À la gare, il vous est possible d'acheter votre billet au guichet ou à la billetterie automatique ; de laisser vos bagages à la consigne (manuelle ou automatique) et d'aller prendre un repas au buffet

Mais avant de monter dans le train, vous ne devez pas oublier de valider votre billet à l'aide d'un appareil de couleur orange, appelé composteur. Si vous ne compostez pas votre billet, vous risquez une amende.

Dans le train

Les Trains Express Régionaux (TER) prévoient des bagageries pour les skieurs et les amateurs de planche à voile.

7 TGV

8 *Quai de gare*

9 *Automate*

LE SAVIEZ-VOUS ?

Plus de la moitié des Français n'ont jamais pris le TGV.

74

VOYAGER EN AVION

Les Français sont de plus en plus nombreux à utiliser l'avion en particulier pour des déplacements à caractère professionnel mais aussi pour des déplacements touristiques à destination des pays étrangers.

Des vols réguliers

Air France est la plus grande compagnie régulière française. Elle propose à la fois des vols intérieurs et des vols internationaux.

Pour répondre à la concurrence du TGV, Air France a mis en place des « navettes », sur certains vols intérieurs tels que Paris-Marseille. Il n'est plus nécessaire de réserver sa place longtemps à l'avance pour emprunter ces avions qui décollent toutes les demi-heures.

10 *Décollage*

11 *Passager à l'embarquement*

LE DEUX ROUES

MOTO 6,5 STARK. Bicolore noir gris anthracite. Part vend APRILIA 650 cm^3, modèl. mai 96. 2e main, bon état général 17 000 km - 3 810,97 € (25 000 F).

Le retour à la bicyclette

Les grèves fréquentes des transports collectifs dans certaines grandes villes ont provoqué un développement de l'usage de la bicyclette. L'extension dans les villes des réseaux de pistes cyclables et la création de places de stationnement protégées du vol incitent les Français à utiliser ce mode de déplacement. Cet intérêt nouveau pour la bicyclette est encouragé par les mouvements écologistes.

Le retour du scooter

Quant aux autres « deux roues » ils ne sont pas également appréciés : les cyclomoteurs sont démodés, les motos sont trop chères, en revanche les scooters plaisent aux jeunes, aux moins jeunes, aux hommes et aux femmes.

C'est un mode de déplacement rapide dans les villes. Il est considéré comme sûr, confortable silencieux et il séduit les nostalgiques des années soixante.

12 *Une piste cyclable, à Nice*

13 *Scooters en ville*

14 *Location de vélos*

EXERCICE

VRAI OU FAUX ?

1. Marseille est le premier port maritime français.
2. En 2010 la construction du canal Rhin-Rhône sera achevée.
3. Les trains français sont les plus ponctuels du monde.
4. Le TGV représente 10 % du trafic SNCF
5. Les conducteurs de train prennent leur retraite à 50 ans.
6. A la SNCF les familles nombreuses (à partir de trois enfants), ne bénéficient pas de tarifs réduits.
7. 30 % des Français n'ont jamais pris l'avion
8. Le temps moyen de déplacement des Français est d'une heure par jour.
9. Dans certaines villes, il est possible de prendre le tram avec sa bicyclette.
10. Le code de la route est une innovation française de 1910.
11. Un tiers des voitures françaises est équipé d'un moteur diesel.
12. Les chauffeurs de taxi peuvent être des artisans indépendants.

Il *est obligatoire* :

13. De composter son billet à la gare avant de monter dans le train
14. D'acheter une vignette quand on possède une automobile
15. De céder sa place aux personnes âgées dans les transports publics

Il *est interdit* :

16. De fumer dans les avions sur les vols intérieurs
17. De conduire sans permis si on a plus de 18 ans
18. De parler au conducteur d'un bus en dehors des arrêts

16 À Paris, une entrée de métro style Art nouveau

15 Contrôle d'un ticket électronique

1. Vrai. 2. Vrai. 3. Vrai. 4. Vrai. 5. Vrai. 6. Faux. 7. Faux : la moitié. 8. Vrai. 9. Vrai. 10. Faux. 11. Faux : un quart. 12. Vrai. 13. Vrai. 14. Vrai. 15. Vrai. 16. Vrai. 17. Vrai. 18. Vrai.

77

Jusqu'au bac

1 Jules Ferry

EN CHANSON

Vivent les vacances
A bas les pénitences
Les cahiers au feu
Et la maîtresse au milieu

En 1882, Jules Ferry, Ministre de l'instruction publique, fait voter les lois instituant la gratuité, la laïcité et l'obligation de l'enseignement primaire. Aujourd'hui, ces principes sont toujours valables et l'éducation scolaire est obligatoire de 6 ans à 16 ans. Sur les 12 millions de jeunes scolarisés, 85 % fréquentent l'enseignement public, les autres allant dans des établissements privés, essentiellement de confession catholique. Il existe aussi quelques rares écoles privées où l'on applique des méthodes non officielles, comme les écoles Montessori.

3 La cantine d'une école maternelle

2 Le plaisir de lire

L'ÉCOLE MATERNELLE

Sans être obligatoire, l'école maternelle accueille 99,6 % des enfants de trois ans. Certaines maternelles acceptent les enfants dès deux ans, à condition qu'ils soient propres et qu'il y ait des places disponibles.

L'école maternelle se compose de trois sections : la petite, la moyenne et la grande section. Les enfants apprennent à vivre ensemble, ils dessinent, écoutent des histoires, chantent et … font la sieste.

Ils ont la possibilité de rester à l'école seulement la demi-journée mais souvent, les enfants dont les parents travaillent, passent toute la journée, de 8 h 30 à 16 h 30 dans l'établissement. Dans ce cas, ils déjeunent à la cantine.

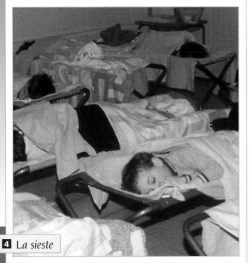

4 *La sieste*

5 *Une fête*

6 *Un conte*

LA « GRANDE ÉCOLE » OU L'ÉCOLE PRIMAIRE

L'école primaire accueille les élèves de 6 à 10 ans. Ils ont un seul instituteur ou le plus souvent une institutrice qui enseigne toutes les matières.

Les écoliers apprennent les bases de la lecture et du calcul pendant les trois premières années (de 5 ans à 7 ans), c'est-à-dire en grande section de maternelle, au cours préparatoire (CP) et au cours élémentaire première année (CE1). (Voir tableau page 74.)

Puis de 8 à 10-11 ans les enfants approfondissent leurs connaissances au cours élémentaire deuxième année (CE2), au cours moyen première année et deuxième année (CM1 et CM2).

Les horaires hebdomadaires de travail sont lourds pour les enfants. Ils travaillent, en effet tous les jours, sauf le mercredi, de 8 h 30 à 11 h 30 et de 13 h 30 à 16 h 30 et trois samedis matins par mois. Ils ont 158 jours d'école et suivent 972 heures de cours.

La France est le pays d'Europe où les enfants ont le moins de jours de classe et le plus d'heures de cours par jour, et il arrive souvent que leur journée ne soit pas finie lorsqu'ils quittent l'école, car, malgré les directives ministérielles qui déconseillent les devoirs à la maison, la plupart des enfants ont des exercices à faire en rentrant chez eux.

Ce rythme de travail est remis en cause dans certaines écoles qui expérimentent de nouveaux horaires : pas de cours le samedi matin et un peu moins de vacances.

7 La récré

8 En classe

9 Le cahier et le crayon

Les difficultés dans l'apprentissage de la lecture entraînent souvent l'échec scolaire, c'est-à-dire le redoublement d'une ou plusieurs classes.

En 1989 l'Assemblée Nationale a voté une loi qui prévoit l'initiation à une langue étrangère au CM2.

10 *Le calendrier des vacances scolaires*

ACADÉMIE DE LA CORSE

ZONE A	ZONE B	ZONE C
Caen	Aix-Marseille	Bordeaux
Clermont-Ferrand	Amiens	Créteil
Grenoble	Besançon	Paris
Lyon	Dijon	Versailles
Montpellier	Lille	
Nancy	Limoges	
Nantes	Nice	
Rennes	Orléans-Tours	
Toulouse	Poitiers	
	Reims	
	Rouen	
	Strasbourg	

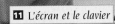

11 *L'écran et le clavier*

• Enseignement primaire

École maternelle

3 ans	Petite section
4 ans	Moyenne section
5 ans	Grande section

École élémentaire

6 ans	CP Cours préparatoire
7 ans	CE1 Cours élémentaire 1re année
8 ans	CE2 Cours élémentaire 2e année
9 ans	CM1 Cours moyen 1re année
10 ans	CM2 Cours moyen 2e année

• Enseignement secondaire 1er cycle Collège

Cycle d'observation

11 ans	6e
12 ans	5e

Cycle d'orientation

13 ans	4e
14 ans	3e

• Enseignement secondaire 2e cycle Lycée

Cycle de détermination

15 ans	2nde
16 ans	1re
17 ans	Terminale

> **POUR EN SAVOIR PLUS**
>
> • 38 % des élèves entrés en 6e quitteront le système scolaire dans les 4 ans.
> • 3 élèves sur 5 redoublent au cours de leur scolarité au collège ou au lycée.
> • Seuls 12,5 % des fils d'ouvriers arrivent en terminale. Le système éducatif français ne permet pas de remédier aux inégalités sociales.
> • 1 jeune sur 10 sort de l'école sans aucun diplôme.

Classes préprofessionnelles

Lycée professionnel
BEP 1
BEP 2
Bac pro 1
Bac Pro 2

CAP

Baccalauréat général
ou technique

Baccalauréat
professionnel

12 *L'attention*

École : inégalité sociale et malaise de l'enseignant

Enseignants, enfants et parents donnent les mêmes noms à leurs malaises : manque d'ouverture sur la vie professionnelle, classes surchargées, insécurité, problèmes d'orientation et d'aide aux élèves en difficulté [...] « Que répondre à un élève de 11 ans qui nous demande à quoi sert l'école puisqu'il sera de toute façon au chômage ? » demande une institutrice en fixant la caméra.

Pour les parents, la réponse est simple : les entreprises doivent être plus présentes à l'école. Mais les enseignants font la moue : leur véritable mission reste « la formation de la réflexion et de l'esprit critique ». Globalement, les parents estiment qu'ils la remplissent correctement. Sauf dans les filières techniques, qui concentrent les problèmes. « Ceux qui sont mauvais partout, on les lourde dans les classes de CAP surchargées, explique Stéphane, mécanicien. Ils en sortent aussi mauvais en mécanique qu'ailleurs, et ils n'y arrivent pas. »

L'échec scolaire, ces « cinq élèves au fond de la classe dont plus personne ne s'occupe », est la première préoccupation des parents et des profs. La solution ? Des classes moins peuplées, des cours supplémentaires pour les élèves en difficulté. Pour que le privilège des cours particuliers pour les élèves les plus aisés disparaisse, que l'on ne puisse plus dire, comme cet agent de la SNCF, que « la réussite scolaire d'un gosse, c'est réservé aux riches ».

« Il nous faut être en même temps prof, médecin, religieuse, ministre de l'éducation et Père Noël », explique un enseignant. « On aimerait plus de communication entre élèves et profs », répondent les parents. Car l'élève n'existe pas qu'en classe : il est violent à l'école « parce qu'il fait la même chose qu'à la maison », commente un élève de CM2. Plus de communication, des lieux de rencontres en dehors des cours, et plus de moyens financiers : ces revendications banales appellent des mesures d'urgence.

Bénédicte Charles.
Marianne, 2 au 8 juin 1997.

EN CHANSON

Les petites filles sont des traîtresses
Si jamais tu tires leurs tresses
Elles le disent à la maîtresse
Et toi, tu finis au coin

David Mac Neil, *Seul dans ton coin*

13 *Un établissement moderne*

L'ENSEIGNEMENT SECONDAIRE

Les enfants doivent aller au collège ou au lycée le plus proche de leur domicile, selon une carte scolaire établie par l'administration. A la campagne, les jeunes sont souvent internes : ils restent toute la semaine à l'internat, c'est-à-dire qu'ils mangent et dorment au collège ou au lycée.

L'enseignement secondaire se partage en deux niveaux : (voir tableau page 82)
– le premier cycle : le collège
– le deuxième cycle : le lycée.

COMMENT DIRE ?

• Les enseignants vouvoient leurs élèves au lycée. Par contre, ils les tutoient au collège.

• Au collège et au lycée les élèves sont surveillés par des étudiants. Ces surveillants sont chargés de faire respecter le calme pendant les heures de récréations et d'aider les élèves dans leurs études.

Le collège

Tous les élèves de CM2 entrent en 6e, en général à l'âge de 11 ans.

C'est souvent un grand bouleversement pour eux puisqu'à chaque heure ils changent de matière et donc de professeur. Ils doivent étudier une langue étrangère, la majorité des élèves choisit l'anglais (environ 80 %), puis vient l'espagnol et ensuite l'allemand.

En 4e les collégiens choisissent une deuxième langue étrangère.

Tous les trois mois, les élèves ont des devoirs écrits faits en classe sous surveillance et les parents reçoivent un bulletin trimestriel commenté par les professeurs.

Au collège les orientations se font en 5e et en 3e : le conseil de classe, où les élèves et les parents sont représentés, décide de l'orientation ou du redoublement. Ceci se fait en accord avec les parents, mais 20 % des élèves n'ont pas choisi leur orientation.

Sur 10 élèves entrés en 6e, 7 arriveront en 3e et parmi ces 7, seule la moitié ira dans un lycée technique ou général, les autres redoubleront ou quitteront l'enseignement obligatoire s'ils ont plus de 16 ans.

14 *Sciences de la vie et de la Terre, les travaux pratiques*

Le cancre

Il dit non avec la tête
mais il dit oui avec le cœur
il dit oui à ce qu'il aime
il dit non au professeur
il est debout
on le questionne
et tous les problèmes sont posés
soudain le fou rire le prend
et il efface tout
les chiffres et les mots
les dates et les noms
les phrases et les pièges
et malgré les menaces du maître
sous les huées des enfants prodiges
avec des craies de toutes les couleurs
sur le tableau noir du malheur
il dessine le visage du bonheur

Jacques Prévert

L'orientation

A la fin du collège, les élèves ont le choix entre plusieurs orientations :
– rejoindre un lycée d'enseignement général ou technique
– aller dans un lycée professionnel où ils prépareront en 2 ans un BEP (brevet d'enseignement professionnel). Les meilleurs d'entre eux pourront passer un bac professionnel qui se prépare en deux ans. Cette filière permet aux jeunes qui n'aiment pas les études d'avoir une véritable formation professionnelle. Ils ont également la possibilité de préparer le bac en alternance, c'est-à-dire qu'ils travaillent dans une entreprise une partie de la semaine et suivent des cours le reste du temps.
– entrer en apprentissage chez un patron et apprendre un métier.
– quitter le système scolaire s'ils ont plus de 16 ans.

Le lycée

À la fin du collège, 34 % des élèves sont dirigés vers les lycées.

Les lycéens doivent étudier de nombreuses matières et se spécialisent en classe de première. Voici un exemple d'emploi du temps d'un élève de seconde (*ci-dessous*).

Les études au lycée sont gratuites mais les parents doivent acheter les livres et les fournitures scolaires dont les élèves auront besoin.

La fin du lycée est sanctionnée par le baccalauréat (le « bac ») :

86 % des élèves entrés en seconde arrivent au bac en 3 ou 4 ans.

EMPLOI DU TEMPS
CLASSE DE SECONDE 6

HEURES	LUNDI	MARDI	MERCREDI	JEUDI	VENDREDI	SAMEDI
8H00 À 9H00	FRANÇAIS	FRANÇAIS	STT	SVT	MATHS	
9H00 À 10H00	ITALIEN	HISTOIRE/GÉO	MATHS	PHYSIQUE	FRANÇAIS	
10H00 À 11H00	CHIMIE	SVT	EPS	SVT	FRANÇAIS	MATHS
11H00 À 12H00	FRANÇAIS	ÉTUDE	EPS	ITALIEN	MATHS	
13H30 À 14H30	ANGLAIS	PHYSIQUE		ANGLAIS	HISTOIRE/GÉO	
14H30 À 15H30	MATHS	HISTOIRE/GÉO	ANGLAIS			
15H30 À 16H30	STT	ANGLAIS	ITALIEN			
16H30 À 17H30	STT	PHYSIQUE	MATHS	HISTOIRE/GÉO		

STT = Sciences et Techniques Tertiaires   SVT = Sciences de la vie et de la terre   EPS = Education Physique et Sportive

15 *Musique et chant*

LE BAC

On compte une vingtaine de bacs différents : par exemple le bac L, à orientation littéraire, ou le bac S, scientifique, à dominante mathématiques.

Les bacs professionnels sont de plus en plus recherchés par les élèves et les entreprises.

La période du bac est un moment très difficile pour les parents et surtout pour les élèves ! En effet, le bac est indispensable pour entrer à l'université ou dans l'enseignement supérieur. Le pourcentage de réussite au bac est d'environ 75 % pour les garçons et 76 % pour les filles.

L'enseignement et l'éducation sont des thèmes qui passionnent les Français. Le ministre de l'Éducation nationale dirige un ministère difficile, il emploie 1 million d'enseignants et gère un budget colossal qui représente 7,5 % du PIB (produit intérieur brut). Les mécontentements et protestations sont fréquents et réunissent souvent élèves et professeurs. (Voir article page 75).

16 *Les sujets dans leur enveloppe cachetée*

BACCALAURÉAT GÉNÉRAL

ÉPREUVE DU MARDI 12 OCTOBRE 1999

A 8 Heures
Durée de l'épreuve : 4 heures

SUJETS PHILOSOPHIE

Série S
(51 exemplaires)

POUR EN SAVOIR PLUS

- Avec 58,9 % environ de bacheliers par classe d'âge, le système éducatif français n'est pas assez efficace.
- Les différents ministres de l'Éducation nationale voudraient que 80 % d'une classe d'âge ait le bac à partir de l'an 2 000.

17 *L'épreuve*

18 *L'affichage des résultats*

EXERCICES

LE SAVIEZ-VOUS ?

• L'école étant laïque, les jeunes filles qui portent le foulard islamique doivent l'enlever avant d'entrer en classe.

VRAI OU FAUX ?

1. Les jeunes doivent fréquenter l'école jusqu'à l'âge de 16 ans.
2. La majorité des jeunes étudient dans des établissements catholiques.
3. A l'école maternelle, les enfants peuvent dormir sans être punis.
4. Les enfants français ont de très nombreux jours de vacances en comparaison avec leurs voisins européens.
5. Les écoliers français apprennent une langue étrangère dès l'âge de 6 ans.
6. Les jeunes peuvent choisir le collège où ils souhaitent étudier.
7. La majorité des collégiens étudie l'anglais en première langue.
8. Les conseils de classe réunissent les professeurs, des représentants des élèves et des représentants des parents.
9. Les élèves qui ont des difficultés au collège doivent quitter l'école.
10. Aujourd'hui, 86 % d'une classe d'âge est titulaire du baccalauréat.
11. Les filles qui obtiennent le bac sont plus nombreuses que les garçons.
12. Le système éducatif français donne la même chance à tous les enfants, quel que soit leur milieu social, d'obtenir le bac.

COMPARAISON

1. Comparez votre emploi du temps à celui donné page 85
2. Quelles différences notez-vous entre le système éducatif français et celui de votre pays ?

19 *La sortie des classes*

20 *Qui connaît la réponse ?*

POUR ALLER PLUS LOIN

• Un couple de Français, M. et Mme Dutoit, avait décidé de faire le tour du monde à vélo avec leurs deux filles âgées de 8 et 12 ans. M. et Mme Dutoit ayant fait des études supérieures, ils ont eu l'autorisation de servir de professeurs à leurs deux filles.

LE SAVIEZ-VOUS ?

• Les enfants de mariniers ou de forains sont souvent obligés d'être internes pendant leurs études et passent la plupart de leurs week-ends à l'internat.

CORRIGÉ

1. Vrai, mais quelques uns peuvent suivre des cours par correspondance ou étudier avec leurs parents si ceux-ci ont fait des études supérieures. – 2. Faux – 3. Vrai – 4. Vrai, si on compare avec les autres pays européens. – 5. Faux – 6. Faux – 7. Vrai – 8. Vrai – 9. Faux, s'ils ont moins de 16 ans. – 10. Faux – 11. Vrai 12. Faux.

87

Après le bac

Après le baccalauréat 85 % des étudiants poursuivent leurs études à l'université.

Plus de deux millions d'étudiants sont inscrits dans l'enseignement supérieur et 75 % d'entre eux fréquentent les 90 universités françaises.

L'enseignement supérieur est gratuit, les étudiants paient environ 230 euros pour la Sécurité sociale et les frais administratifs.

Parmi les pays développés, la France arrive en 3e position pour le nombre d'étudiants par rapport à la population, après le Canada et l'Espagne.

L'étudiant qui vient d'obtenir son baccalauréat peut rester au lycée et préparer en deux ans un BTS (brevet de technicien supérieur). Il peut se diriger vers les IUT ou les Grandes Ecoles mais la plupart vont à l'Université.

LE SAVIEZ-VOUS ?

• Un étudiant peut être élu vice-président de son université.

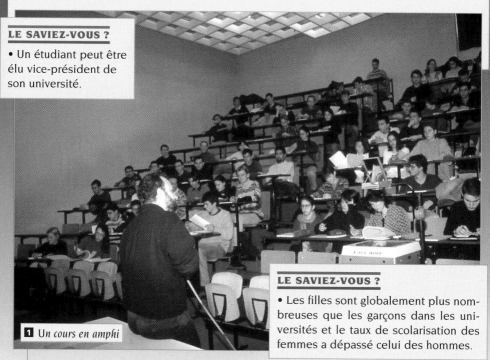

1 *Un cours en amphi*

LE SAVIEZ-VOUS ?

• Les filles sont globalement plus nombreuses que les garçons dans les universités et le taux de scolarisation des femmes a dépassé celui des hommes.

LA « FAC »

La grande majorité des bacheliers entre à l'université. Il y a plus de 1 500 000 étudiants dans les universités françaises.

Les universités sont ouvertes à tous les étudiants titulaires du bac mais les étudiants doivent, sauf exception, s'inscrire dans leur académie d'origine, au moins pour le premier cycle.

Les universités les plus fréquentées sont celles de Lettres et de Sciences humaines.

Les étudiants possédant une licence et souhaitant devenir enseignants, peuvent entrer à l'IUFM (Institut universitaire de formation des maîtres) et se présenter à un concours de recrutement comme le CAPES (Certificat d'aptitude professionnelle à l'enseignement secondaire) ou l'agrégation s'ils sont titulaires d'une maîtrise.

Le DEUG, qui se prépare en deux ans, n'est obtenu que par 28 % des étudiants à l'issue de la 2e année. La majorité des étudiants inscrits dans cette filière effectuent une année supplémentaire.

Ces échecs coûtent cher à la communauté. En effet, un étudiant d'université coûte environ 5 344 euros (35 217 F) par an à l'État, un étudiant d'IUT coûte 8 167 euros (53 820 F) et un étudiant d'une grande école 13 618 euros (89 742 F) !

2 *La BU*

3 *L'intercours*

Grandes Écoles 3 ans	Doctorat				Troisième cycle
	DEA-DESS				
	Maîtrise 1 an				Deuxième cycle
	Licence 1 an				
CPGE 2 ans	DEUG ou DEUST 2 ans		DUT 2 ans	BTS 2 ans	Premier cycle

4 *Un TD*

CPGE	Classes préparatoires aux grandes écoles
DEUG	Diplôme d'études universitaires générales
DEUST	Diplôme d'études universitaires scientifiques et techniques
DUT	Diplôme universitaire de technologie
BTS	Brevet de technicien supérieur
DEA	Diplôme d'études approfondies
DESS	Diplôme d'études supérieures spécialisées

LE SAVIEZ-VOUS ?

• Aujourd'hui, de nombreuses universités ont créé des universités inter-âges surtout fréquentées par les personnes du troisième âge.

LES DIPLÔMES NATIONAUX

Les étudiants peuvent préparer un des diplômes nationaux suivants :

LE DEUG : DIPLÔME D'ETUDES UNIVERSITAIRES GÉNÉRALES. – Il se passe à la fin du premier cycle, après deux ans d'études.

LA LICENCE. – Elle se prépare en un an après le DEUG.

LA MAÎTRISE. – Elle sanctionne la fin du 2e cycle et se passe un an après la licence.

LE DEA : DIPLÔME D'ÉTUDES APPROFONDIES. – Il sanctionne la première année du 3e cycle. Pour s'inscrire en 3e cycle, il faut avoir une maîtrise.

LE DESS : DIPLÔME D'ETUDES SUPÉRIEURES SPÉCIALISÉES. – Il se passe après quatre ans d'études supérieures.

LE DOCTORAT. – Il se prépare en trois ans après la maîtrise et donne, après soutenance d'une thèse, le titre de docteur.

LE SAVIEZ-VOUS ?

• 100 000 étudiants par an quittent l'université sans diplômes !
• En Europe, les diplômes universitaires nationaux sont reconnus par les Etats membres.

L'IUT

5 à 8 % des bacheliers vont dans un Institut Universitaire de Technologie (IUT) où les études durent 2 ans.

L'admission dans un IUT dépend du dossier scolaire (produit par le lycée) et du type de bac. L'obtention d'une mention est parfois déterminante.

5 *Un laboratoire de mécanique*

6 *Un atelier équipé de machines outils pilotées par ordinateur*

LES GRANDES ECOLES

80 000 étudiants s'inscrivent chaque année dans des Classes Préparatoires aux Grandes Écoles (CPGE) afin de préparer le concours qui leur permettra d'entrer dans une des prestigieuses Grandes Ecoles. Ces concours se préparent en deux ans.

Les Grandes Ecoles ont une excellente réputation, puisqu'elles forment non seulement des cadres administratifs et des fonctionnaires de très haut niveau, mais aussi des responsables de grandes entreprises. De nombreux hommes politiques y ont fait leurs études.

Citons quelques-unes de ces écoles prestigieuses qui forment les cadres de la nation :

l'ENA (Ecole Nationale d'Administration), « l'X » (école polytechnique), l'Ecole Normale Supérieure, l'école des Mines (ingénieurs en travaux publics), HEC (Hautes Etudes Commerciales), l'école Centrale (école d'ingénieurs), Saint-Cyr (école militaire)...

Ce système élitiste est souvent critiqué : il coûte cher à l'Etat et on lui reproche de former parfois des technocrates coupés de la vie réelle.

7 *Les anciens locaux de l'X*

8 *HEC : l'entrée du campus*

9 *HEC : un cours magistral*

LA VIE ÉTUDIANTE

Les étudiants peuvent se loger dans les résidences universitaires gérées par le CROUS (Centre Régional des Œuvres Universitaires et Scolaires) mais dans certaines académies leur nombre est insuffisant et les étudiants choisissent alors d'habiter dans des foyers privés ou de partager des appartements.

Les repas sont pris au restaurant universitaire pour un prix modique.

Les étudiants dont les parents ont des ressources insuffisantes peuvent bénéficier d'une bourse d'études. Un étudiant sur cinq est boursier. Cette aide annuelle s'élève au minimum à 111 euros environ et au maximum à 3 006 euros.

Si le budget des étudiants est globalement en hausse (voir p. ci-contre), une étude récente montre que de plus en plus d'étudiants vivent en dessous du seuil de pauvreté. En effet, la démocratisation de l'enseignement a ouvert les portes de l'université aux enfants des classes moyennes et défavorisées et les familles n'ont pas toujours les moyens financiers de les faire vivre confortablement.

Les bourses d'études accordées aux étudiants de premier cycle ne sont pas toujours suffisamment élevées.

Les étudiants de DEA ou de DESS peuvent aussi obtenir des bourses sur critères universitaires et elles se montent à environ 3 289 euros par an.

Tous les étudiants possèdent une carte qui donne accès gratuitement aux bibliothèques universitaires et qui leur permet de bénéficier de réductions dans différents lieux : cinémas, musées, théâtres, librairies, ciné-clubs, clubs sportifs etc.

COMMENT DIRE ?

Le langage étudiant a ses originalités, voici quelques exemples :
- La cité U : la résidence universitaire
- Le resto U ou le RU : le restaurant universitaire.
- La fac : la faculté
- Un amphi : un amphithéâtre
- Des TD : des travaux dirigés
- Des TP : des travaux pratiques
- Un partiel : un contrôle dont la note entrera dans l'examen final
- Une UE : une unité d'enseignement ; un cours ou un ensemble de cours spécialisés, donnant lieu chacun à un examen. Plusieurs UE composent la Licence par exemple.
- La BU : la bibliothèque universitaire.

Les services de la vie étudiante
CROUS

Un restaurant universitaire : **10** *salle à manger et* **11** *libre service*

EXERCICES

VRAI OU FAUX ?

1. Après le bac, la plupart des étudiants s'inscrivent à l'université.
2. Pour entrer dans un IUT, le bac suffit.
3. Les grandes écoles sélectionnent les étudiants à leur entrée.
4. Le CROUS gère les logements et les restaurants réservés aux étudiants.
5. La majorité des étudiants obtiennent le DEUG facilement.
6. Les étudiants peuvent se loger et se nourrir dans des lieux qui leur sont réservés.
7. Les étudiants européens ont des facilités pour étudier dans un autre pays d'Europe.
8. La majorité des étudiants sont issus de milieux favorisés.
9. Tous les étudiants bénéficient d'une bourse la première année de leurs études.
10. Les étudiants étrangers qui souhaitent poursuivre leurs études en France doivent être titulaires du DALF.

POUR EN SAVOIR PLUS

L'université et les étudiants étrangers

• Si un étudiant étranger veut étudier dans une université française, il devra justifier d'un certain niveau de connaissance de la langue et posséder l'équivalent du bac. Ces tests sont organisés par l'université choisie.
• S'il est titulaire du DALF (diplôme approfondi de langue française), diplôme organisé par les services culturels français de son pays d'origine ou, en France, par les centres de Français Langue Étrangère habilités, il sera alors dispensé des tests d'entrée à l'université.
• Il s'acquittera des mêmes droits d'inscription qu'un étudiant français.

CORRIGÉ

1. Vrai – 2. Faux, il faut avoir aussi un bon dossier scolaire. – 3. Vrai – 4. Vrai – 5. Faux – 6. Vrai – 7. Vrai – 8. Vrai – 9. Faux – 10. Faux.

COMPAREZ

• Comparez les études supérieures chez vous et en France : coût, sélection, années d'études…

Le budget des étudiants est en hausse

Les étudiants peuvent se réjouir, le budget dont ils disposent est en augmentation. Une enquête réalisée par « l'Observatoire de la vie étudiante » en témoigne.

Il apparaît à la lecture de cette enquête, que le budget varie tout de même en fonction de l'origine sociale des parents, et que les bourses pouvant être obtenues ne compensent pas le déséquilibre. 40 % des étudiants vivent chez leurs parents et le budget moyen de l'étudiant célibataire se situe à 807,92 € par mois. Somme élevée qui s'explique par les enfants des cadres supérieurs représentant plus de 30 % des effectifs universitaires. Les dépenses de l'étudiant varient de 664,93 €, lorsque les parents gagnent moins de 1 219,60 € par mois, à 1 238,77 € lorsque ceux-ci gagnent 4 573,17 € ou plus. Quant aux étudiants, ils dépensent plus que la moyenne en loisirs et moins en alimentation ou en confort d'habitat. Mais les priorités sont les mêmes, quels que soient les moyens.

(Droits réservés)

• Le programme européen Socrates s'adresse aux étudiants et enseignants. Il facilite les échanges culturels entre les Etats membres.
• Le programme Erasmus permet à des étudiants de bénéficier d'une bourse pour étudier dans un autre pays d'Europe.

LE SAVIEZ-VOUS ?

• Sur 10 enfants d'ouvriers qui entrent en 6e, un seul ira jusqu'en terminale.
• A l'université, 40 % des étudiants sont enfants de cadres ou de professeurs et 13 % sont enfants d'ouvriers.
• On estime à plus de deux millions le nombre de Français de plus de 18 ans qui auraient des difficultés à parler, lire et écrire la langue de la vie courante.

Au travail

Depuis deux cents ans, la durée du temps de travail a baissé de moitié. En effet, au début du XIXᵉ siècle, on travaillait environ 3 200 heures par an pour 1 645 heures aujourd'hui.

43 % des Français sont considérés comme actifs. Les autres sont retraités, sans emploi, en cours de formation ou s'occupent de leurs enfants.

COMMENT DIRE ?

- « Avoir du pain sur la planche », c'est avoir beaucoup de travail à accomplir.
- «Mettre la main à la pâte », c'est s'investir soi même dans un travail que l'on pourrait laisser faire par d'autres.

1 Boulangers au travail

LES CONDITIONS DE TRAVAIL

La durée hebdomadaire

Depuis 1982, la durée légale du travail des salariés est passée de 40 heures à 39 heures par semaine. Aujourd'hui, pour réduire le chômage et éviter des licenciements, le gouvernement accorde des aides aux entreprises qui acceptent le passage aux 35 heures sans diminution du salaire. À compter de 2002, toutes les entreprises de plus de 10 employés doivent appliquer la loi sur les 35 heures de travail.

Cependant certaines catégories professionnelles travaillent plus de 50 heures, comme les professions libérales, les cadres, les commerçants, les chefs d'entreprises et les agriculteurs.

Les congés

En 1936, date des premiers congés payés, les salariés avaient 2 semaines de vacances ; aujourd'hui, ils bénéficient de 5 semaines de congés payés et de 10 jours fériés ouvrables. Quand un jour férié tombe un jeudi ou un mardi, les employés ont parfois la possibilité de faire « le pont », c'est-à-dire qu'ils ne travaillent pas le vendredi ou le lundi.

Le mois de mai est particulièrement riche en jours fériés : en effet, au 1er mai qui célèbre la fête du travail et au 8 mai qui commémore l'armistice de 1945 s'ajoutent le jeudi de l'Ascension et le lundi de Pentecôte.

POUR EN SAVOIR PLUS

• Jusqu'en 1986, le travail de nuit pour les femmes était interdit. Aujourd'hui, si les partenaires sociaux, c'est-à-dire le patronat et les syndicats, donnent leur accord, les femmes sont autorisées à travailler entre 22h et 5h du matin.

2 *Les femmes sont majoritaires dans les emplois de bureau*

Les contrats de travail

Tout salarié travaillant dans le secteur privé doit avoir un contrat de travail qui précise ses conditions de travail et son salaire. Les entreprises ont la possibilité d'embaucher un employé pour une durée limitée, par exemple en remplacement d'un employé malade. Dans ce cas l'entreprise signe un contrat à durée déterminée (CDD). Si l'entreprise embauche parce qu'elle a un surcroît de travail, elle signera un contrat à durée illimitée (CDI). Elle ne pourra alors licencier l'employé qu'en lui versant des indemnités de licenciement.

EMPLOI/DEMANDES

• JH.Etudiant. ch. place pizzaiollo temps partiel. Ref. 110-1

• H. 50 ans. Permis VL. 22 ans expérience vente quincaillerie étudie tte. prop. Ref. 110-2

• JF. Etud. BTS action commerciale. Bonne prés. Ch. stage commercial PME service ou association. Réf. 110-3

• F 32 ans. Sérieuse. Expérience entretien de surface. Ch. place stable. Réf 110-4

• JF. 25 ans. Secrétaire bilingue ch. poste assistante direct. Réf. 110-5

Les salaires

En 1950, un salaire minimum a été institué. Aujourd'hui, le SMIC (Salaire minimum interprofessionnel de croissance) est réévalué chaque année en fonction de l'augmentation du coût de la vie et de l'augmentation des salaires ouvriers. Au 1er mars 2000, le SMIC est à 1 049 € (6 882 F) brut (avant le prélèvement des charges sociales), soit 829,26 € net par mois (5 440 F). Environ 2 millions de personnes sont payées au SMIC.

Le salaire moyen des salariés est d'environ 1 585,36 € (10 400 F) net par mois.

PROVERBES ET DICTONS

• Toute peine mérite salaire.

COMMENT DIRE ?

• Le mot salaire vient du latin « sal » qui signifie « sel ». En effet, on payait autrefois les soldats en leur donnant une ration de sel !

• Aujourd'hui, les militaires touchent une solde. Les médecins, les avocats, les notaires perçoivent des honoraires. Les fonctionnaires, des traitements, mais tous perçoivent une rémunération pour un travail ou un service rendu. Les artistes touchent un cachet alors que les écrivains et... les auteurs de manuels scolaires reçoivent des droits d'auteurs !

LE SAVIEZ-VOUS ?

• Après 24 mois de travail, tout salarié peut bénéficier d'un CIF (congé individuel de formation) pour une durée maximum d'un an. Il touchera au moins 80 % de son salaire et retrouvera un poste dans son entreprise.

• Avant d'embaucher quelqu'un, certains employeurs font appel à un graphologue qui analyse le caractère et les aptitudes du candidat en étudiant son écriture manuscrite. Ces employeurs prennent ces analyses en compte pour sélectionner les candidats.

Les différentes catégories socio-professionnelles

Les employés, cadres, techniciens représentent la catégorie socio-professionnelle la plus importante soit 30 % de la population active. Ce sont les professions liées aux services privés et publics (par exemple vendeur, facteur ou aide-soignant) qui se sont le plus développées : 68 % des actifs.

Les cadres sont au nombre de 2,8 millions, dont un tiers de femmes, par contre, elles sont moins nombreuses chez les cadres supérieurs. Le nombre des commerçants et artisans a diminué en raison de l'augmentation du nombre des grandes surfaces.

Quant aux agriculteurs, ils ne représentent plus que 3,2 % de la population active.

LE SAVIEZ-VOUS ?

• 1,5 million de personnes travailleraient « au noir » – c'est-à-dire sans être déclarés et sans payer de taxes ou d'impôts – dans les travaux publics, le commerce, l'hôtellerie et la restauration.

Les emplois de la fonction publique

La France compte 5 316 800 fonctionnaires. Autrement dit, près d'un Français sur quatre dépend de l'État, d'une mairie, d'un département, d'une région ou d'un hôpital.

Les fonctionnaires sont recrutés par concours et bénéficient de la sécurité de l'emploi. Le ministère de l'Éducation nationale est celui qui emploie le plus de fonctionnaires, suivi par la fonction publique hospitalière.

4 *Enseignement public*

3 *Techniciens*

5 *Fonction publique hospitalière*

LE CHÔMAGE

Tous les Français se sentent concernés par le chômage. Chaque famille a, ou a eu, un parent qui a vécu une période de chômage. Cependant, depuis les années 70, le nombre de demandeurs d'emploi n'a cessé de croître malgré les diverses mesures prises par les gouvernements successifs. Les politiques économiques des gouvernements de droite comme de gauche ont toutes échoué. Depuis 1998 le nombre de demandeurs d'emploi semble en légère diminution, soit 12,9 % de la population active.

Les chiffres suivants sont éloquents :

en 1971	570 000 chômeurs
en 1989	2 500 000 chômeurs
en 1997	3 000 000 chômeurs
en 1999	2 899 900 chômeurs

Les jeunes, les femmes et les plus de 50 ans sont les plus touchés par le chômage. L'ANPE (Agence nationale pour l'emploi) est chargée d'aider les chômeurs à trouver un nouvel emploi ou un stage de formation.

LE SAVIEZ-VOUS ?

• Le Nord et le Sud de la France sont les régions les plus touchées par le chômage.
• Les départements d'outre-mer ont deux fois plus de chômeurs que la métropole.

Les jeunes

Un jeune de moins de 25 ans sur quatre est au chômage. Beaucoup trop de jeunes sortent du système scolaire sans diplôme ni véritable formation professionnelle.

Les entreprises recherchent souvent du personnel ayant déjà une expérience professionnelle. Les mesures sociales prises pour faciliter l'insertion des jeunes devraient faciliter une première embauche. De nombreux stages rémunérés sont proposés mais débouchent le plus souvent sur des emplois précaires et plus rarement sur un emploi stable.

Cependant, depuis 1998 le nombre de jeunes au chômage a diminué.

POUR EN SAVOIR PLUS

Les valeurs attachées au travail ont changé pour les jeunes générations

• Pour les garçons, réussir sa vie personnelle est plus important que réussir sa vie professionnelle ; mais pour les jeunes filles, c'est le contraire.

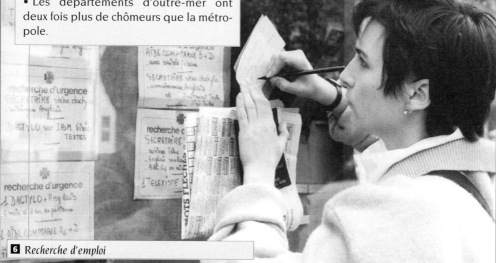

6 *Recherche d'emploi*

Les femmes

Depuis 1968 le nombre de femmes dans la population active a beaucoup augmenté. Les femmes au foyer sont peu nombreuses : environ 3 millions. Elles travaillent surtout dans le secteur tertiaire où elles sont souvent mal rémunérées.

Elles contribuent largement au budget du ménage en apportant 49 % du revenu familial. Cependant elles se heurtent encore à un certain nombre d'inégalités dans leur vie professionnelle :

Elles sont moins bien payées que les hommes, même si l'écart tend à diminuer.

Elles sont souvent orientées vers des professions "féminines". Les femmes ont encore des difficultés à exercer toutes les professions. Elles ne sont que 18 % à entrer dans les écoles d'ingénieurs. Sur 100 PDG (Président Directeur Général) un seul est une femme. Quand au monde politique, elles en sont très éloignées puisque le nombre de femmes à l'Assemblée Nationale est encore un des plus bas d'Europe.

Pour remédier à celà, une loi sur la « parité » votée en 1999 prévoit le même nombre de femmes que d'hommes dans les listes proposées au vote des Français.

Le travail à temps partiel est plutôt réservé aux femmes (28 % de femmes contre 4,6 % d'hommes) alors qu'elles ne le désirent pas toujours. N'oublions pas qu'un million de femmes vivent seules avec un enfant.

Les stages de formation sont proposés en priorité aux hommes, dans 60 % des cas.

Les femmes sont donc, pour toutes ces raisons, les principales victimes du chômage.

Les plus de 50 ans

Le nombre de chômeurs âgés de plus de 50 ans augmente régulièrement car les entreprises préfèrent des employés plus jeunes, mieux formés aux nouvelles technologies et qui, du fait de leur jeune âge, leur coûtent moins cher. A partir de 55 ans, certains d'entre eux peuvent bénéficier de la pré-retraite.

7 *Une antenne de l'ANPE*

ASSURANCE ET SOLIDARITÉ

Les indemnités de chômage

L'indemnisation du chômage se fait actuellement selon deux systèmes :
– un régime d'assurance chômage financé par des cotisations prélevées sur les salaires
– un régime de solidarité financé par l'Etat.

La durée de l'indemnisation varie selon l'âge de la personne et le temps pendant lequel elle a travaillé.

Le montant de l'indemnisation est déterminé en fonction du salaire perçu au moment de la perte d'emploi.

POUR EN SAVOIR PLUS

La fonction publique reste la meilleure assurance contre le chômage

La crainte du chômage rend la fonction publique très attractive (v. p. 97).
- L'État, les collectivités territoriales ou les hôpitaux publics emploient 5 millions de fonctionnaires.
- Chaque année, la fonction publique recrute 50 000 nouveaux fonctionnaires par concours externe.
- Ces recrutements nécessitent l'organisation de 400 concours auxquels se présentent plus de 2 millions de candidats.

Le revenu minimum d'insertion

Devant l'incapacité de notre société à résoudre durablement les problèmes de pauvreté engendrés par le chômage, le gouvernement a institué en décembre 1988 le revenu minimum d'insertion (**RMI**) Il s'agit d'une allocation variant selon le nombre de personnes au foyer et le montant des ressources de ce foyer, soit en 1999 :

- une personne : 366,31 € (2 403 F)
- deux personnes : 549,39 € (3 604 F)
- trois personnes : 659,29 € (4 325 F)
- personnes suivantes : 146,49 € (961 F)

Peut bénéficier du RMI toute personne résidant en France, qui a des ressources inférieures au RMI et qui s'engage à participer à des actions d'insertion.

Plus de 900 000 foyers touchent le RMI, soit environ 1,8 million « de Rmistes « (on prononce érémiste).

8 *La plupart des quotidiens publient des offres d'emploi et des demandes d'emploi*

EXERCICES

VRAI OU FAUX ?

1. La majorité des Français n'ont pas d'activités salariées.
2. Depuis la création des congés payés, le nombre de semaines de vacances a plus que doublé.
3. Le SMIC est le salaire minimum perçu par les fonctionnaires.
4. Les fonctionnaires ne peuvent pas être licenciés pour raison économique.
5. Les chômeurs travaillent à l'ANPE en attendant un emploi.
6. Le montant du RMI dépend du nombre de personnes vivant au foyer.
7. En Martinique et en Guadeloupe le chômage est plus élevé qu'en métropole.
8. Une loi oblige les employeurs à embaucher autant de femmes que d'hommes.
9. La majorité des jeunes de moins de 25 ans sont au chômage.
10. Pour être fonctionnaire, il faut avoir des relations dans la fonctions publique.

À VOTRE AVIS

1. Comparez les conditions de travail dans votre pays et en France. (Durée du temps de travail, congés, salaires …)
2. Retrouvez le sens des sigles suivants : SMIC, ANPE, RMI.
3. Pourquoi le salaire net est-il plus bas que le salaire brut ?

LE SAVIEZ-VOUS ?

- Un employeur ne peut pas refuser d'embaucher une femme enceinte.
- Une employée n'est pas obligée d'informer son employeur qu'elle attend un bébé.

CORRIGÉ

■ 1. Vrai – 2. Vrai – 3. Faux – 4. Vrai – 5. Faux – 6. Vrai – 7. Vrai – 8. Faux – 9. Faux – 10. Faux.
■ 2. SMIC : Salaire Minimum Interprofessionel de Croissance ; ANPE : Agence Nationale Pour L'Emploi ; RMI : Revenu Minimum d'Insertion. – 3. Les charges sociales payées par l'employeur et par le salarié ont été déduites du salaire brut.

9 *Dialogue entre un conseiller de l'ANPE et un demandeur d'emploi*

Informations pratiques

Téléphone

• **De nombreuses cabines téléphoniques sont à votre disposition** dans les villes et dans chaque village. Elles fonctionnent le plus souvent avec une carte téléphonique ou télécarte, qui s'achète dans les bureaux de tabac ou à la poste. Certaines cabines acceptent des pièces de monnaie et plus rarement des cartes de crédit.

• **Les numéros de téléphone ont 10 chiffres.**

• De 01 à 05, les deux premiers chiffres indiquent la région où habite votre correspondant :
01 : Ile-de France,
02 : Nord-Ouest,
03 : Nord-Est,
04 : Sud-Est
05 : Sud-Ouest.

• Les numéros des téléphones portables commencent par **06**.

• Les numéros verts, qui peuvent être appelés gratuitement, commencent par **0800**.

• **Vous êtes en France et vous voulez appeler un numéro à l'étranger :** composez le **00** suivi de l'indicatif du pays, puis de l'indicatif de la ville ou de la zone, selon le pays.

• **Vous êtes à l'étranger et vous voulez appeler un numéro en France :** sachez que l'indicatif de la France est le **33** suivi du numéro de la région, mais sans le **0**.

Minitel

• **Des minitels** sont à votre disposition dans les bureaux de poste.

• **Le 36 11** vous connecte sur l'annuaire téléphonique. Les trois premières minutes sont gratuites.

• **D'autres numéros** comme par exemple le **36 15**, le **36 16**, le **36 17** suivis du nom d'un service vous mettent en contact avec le serveur choisi mais attention ces services sont payants.

Des numéros gratuits en cas d'urgence

• **Le 15** : le SAMU (Service d'Aide Médicale d'Urgence) pour tout accident de santé

• **Le 18** : les pompiers pour un incendie, une inondation, un accident de la circulation avec des blessés, un chat dans un arbre ou un nid de guêpes… Les pompiers se déplacent gratuitement.

• **Le 17** : la police pour toutes les urgences ; elle se met en relation avec le service compétent.

Police ou gendarmerie

Si vous êtes victime d'un vol ou d'une agression :

• **en ville**, adressez-vous au commissariat de police,

• **à la campagne**, adressez-vous à la gendarmerie.

Horaires

• **Les grandes surfaces** (hypermarchés et supermarchés) sont en règle générale ouverts de 9 heures à 20 heures du lundi au samedi.

• **Les magasins d'alimentations de quartier** ont des horaires plus souples et souvent sont ouverts le dimanche matin.

• **Les boulangeries** sont souvent fermées le lundi.

• **Au mois d'août**, il faut savoir que de nombreux magasins sont fermés en raison des congés annuels.

• **Les banques** ouvrent le plus souvent de 9 heures à 17 heures, du lundi au vendredi. Quelques rares agences sont ouvertes le samedi.

• **Les distributeurs de billets**, très nombreux, sont accessibles 24 heures sur 24. Peu de machines effectuent le change des devises étrangères et il est conseillé de s'adresser aux banques.

Informations touristiques

• Pour avoir des informations sur la ville ou la région où vous séjournez, vous pouvez vous adresser :
– à La Maison du tourisme,
– à l'Office du tourisme,
– au Syndicat d'initiative.

Renseignements téléphoniques

Une personne, résidant en France, vous a communiqué son nom et son adresse, mais elle a oublié de vous donner son numéro d'appel. Composez le **12**. Un opérateur vous donnera l'information qui vous manque (attention, ce service n'est pas gratuit).

QUELQUES SIGLES

Argent
CB : Carte Bancaire
F : Franc
E : Euro

Hébergement

Le touriste a plusieurs possibilités d'hébergement selon le lieu et la durée de son séjour.

• **Les hôtels** offrent le plus de souplesse.

• **Les chambres d'hôtes** sont plutôt situées à la campagne et permettent un contact direct avec les habitants. On peut y rester une nuit ou plus.

• **Les gîtes ruraux** sont des logements que l'on peut louer pour une ou plusieurs semaines, voire pour un week-end. Ils offrent un confort minimum (salle de bains, chauffage, eau chaude) et sont situés en zone rurale.

• **Les gîtes d'étape** sont à la disposition des randonneurs qui souhaitent passer une nuit avant de repartir en balade. Ils sont peu chers mais offrent un confort très inégal.

• **Les auberges de jeunesse** sont à la disposition de tous, jeunes ou moins jeunes, à condition d'avoir une carte de membre de la FUAJ (Fédération Unie des Auberges de Jeunesse).

• **Les refuges** permettent aux randonneurs de faire une étape en montagne. Ils ne sont accessibles qu'à pied et offrent un confort généralement rudimentaire.

Une carte extraite d'un agenda de poche

(édité par Quo Vadis)

QUELQUES SIGLES

Transport, routes et chemins

• **SNCF** : Société Nationale de Chemins de Fer Français
• **TGV** : Train à Grande Vitesse
• **TER** : Train Express Régional
• **RER** : Réseau Express Régional
• **RATP** : Régie Autonome des Transports Parisiens
• **M°** : Métropolitain
• **VTT** : Vélo Tout Terrain
• **PV** : Procès Verbal (une amende)

• **N 7** : Route nationale numéro 7 (signalée par une borne rouge)
• **D 205** : Route départementale numéro 205 (signalée par une borne jaune)
• **GR** : Chemin de grande randonnée (signalés par un trait rouge et blanc)

CRÉDIT PHOTOGRAPHIQUE

• **La France : présentation générale** (pages 4 à 11)
p. 4 : © CDT Haute-Garonne. – p. 7 : illustration Michel Cambon. – p. 10 : © C et G. Michelin. – p. 11 : © C. et G. Michelin.

• **Le calendrier** (pages 12 à 19)
1 à 4 : © Musée de la Poste - Paris. – 5 : © Archives Départementales du Tarn. – 6 et 9 : © X. Casanova . – 7 : © Lenôtre - Ph. C.Tortu. – 8 : © J. Cohen . – 10 : © Comité Régional du Tourisme / Bretagne Nouvelle Vague. – 11 et 12 : © J. Cohen. – 13 : © Lenôtre. – 14 : © Truffaut / Burke Communication. – 15 : © Présidence de la République - Service Photographique Diffuseur : la Documentation française. – 16 : © Archives Municipales de Carmaux. – 17 : © OREP

• **La famille** (pages 20 à 27)
1 : © C. de Darassus. – 2 : © Lenôtre. – 3 : © La Documentation Française - Ph. Jean-François Marin / Editing. – 4 : © La Documentation Française - Ph. P. Kohn. – 5 : © La Documentation Française - Ph. P. Dewarez. – 6 : © La Documentation Française - Ph. Jean-François Marin / Editing. – 7 : © La Documentation Française - Ph. Jean-François Marin / Editing. – 8 : © Lenôtre

• **La table** (pages 28 à 39)
1 : © Direction Générale de la Concurence, de la Consommation et de la Répression des Fraudes. – 2 : © EPI - Espace Pain Information. – 3 : © École Nationale Supérieure de la Pâtisserie / TNT. – 4 : © Casino. – 5 : © Accor Corporate Services. – 6 et 7 : © La ferme St Simon - ph. F. Vandenhende. – 8, 9 et 10 : © Valette . – 11 et 12 : © CIVCP - ph. Azema. – 13 et 14 : © Comité Régional du Tourisme / Bretagne Nouvelle Vague. – 15 et 16 : © Agence du Développement Touristique du Bas-Rhin - ph. L. Holder. – 17 : © Direction Générale de la Concurence, de la Consommation et de la Repression des Fraudes. – 18 et 19 : © Les Vignes du Bois-Dieu - Ph. M. Dugelay. – 20 : © EPI - Espace Pain Information. – 21 et 22 : © Casino

• **La santé** (pages 40 à 47)
1 : © La Documentation Française - Ph. A. Wolf. – 2 : © La Documentation Française - Ph. JP. Bajard / Editing. – 3 : © La Documentation Française - Ph. P. Graffion. – 4 : © CNDP - Ph. J. Suquet. – 5 : © La Documentation Française - Ph. JP. Bajard / Editing. – 6 : © X. Casanova. – 7 : © CNDP - Ph. JM. Beaumont. – 8 : © X. Casanova

• **Les loisirs** (pages 48 à 57)
1 : © J. Cohen. – 2 : © Ministère de l'Équipement, service de l'Information et de la Communication - Ph. G. Crossay. – 3 : © L. Allouche. – 4 : © Gîtes de France (3 ph.). – 5 : © Go Sport. – 6 : © L. Allouche. – 7 et 8 : © CNDP - Ph. JM. Beaumont. – 9 : © La Documentation Française - Ph. F.X. Emery. – 10 : © Tour de France - Ph. Bruno Bade. – 11 : © Fnac. – 12 : © L'Équipe, © Elle, © Le Monde, © Le Figaro, © Le Nouvel Observateur, © Match. – 13 : © RTL. – 14 : © Télérama. – 15 et 16 : © Festival Internationnal du Film. – 17 et 19 : © Ministère de l'Équipement, service de l'Information et de la Communication - Ph. G. Crossay . – 18 : © Web Bar / J. Cohen

• **L'argent** (pages 58 à 63)
1 à 3 : © Monnaie de Paris - Musée de la Monnaie. – 4 : © Banque de France (5 ph.). – 5 : © Banque de France (4 ph.). – 6 : © Casino. – 7 : © PMU. – 8 et 9 : © Française des Jeux

• **Se loger** (pages 64 à 69)
1, 3 et 4 : © Ministère de l'Équipement, service de l'Information et de la Communication - Ph. G. Crossay. – 2 : © Gîtes de France. – 5 et 6 : © Ministère de l'Équipement, service de l'Information et de la Communication - Ph. B. Suard. – 7 : © Camif, cat. Mobilier 99, p. 141. – 8 : © Camif, cat. Été 99, p. 699. – 9 : © Camif, cat. Mobilier 99, p. 62. – 10 : © Camif, cat. Hiver 99/2000 p. 727. – 11 et 12 : © Ministère de l'Équipement, service de l'Information et de la Communication - Ph. G. Crossay. – 13 : © Ministère de l'Équipement, service de l'Information et de la Communication - Ph. B. Suard

• **Se déplacer** (pages 70 à 77)
1 : © Ministère de l'Équipement, service de l'Information et de la Communication - Ph. G. Crossay. – 2, 3 et 5 : © RATP - Ph. B. Marguerite (4 ph.). – 4 : © RATP - Ph. D. Dupuy. – 6 : © Ministère de l'Équipement, service de l'Information et de la Communication - Ph. G. Crossay. – p. 65 : © Le Parisien. – 7 à 9 : © Ministère de l'Équipement, service de l'Information et de la Communication - Ph. B. Suard. – 10 et 11 : © Air France - Ph. P. Delafosse. – 12 : © Ministère de l'Équipement, service de l'Information et de la Communication - Ph. L. Boisrobert. – 13 : © Peugeot motocycles (2 ph.). – 14 : © RATP - Ph.JF Mauboussin. – 15 et 16 : © RATP - Ph. B. Marguerite

• **Jusqu'au bac** (pages 78 à 87)
1 : © Musée National de l'Education - INRP Rouen. – 2, 3, 4 et 6 : © CNDP - Ph. J.M. Beaumont. – 5 : © J. Cohen. – 7, 8, 9 et 11 : © CNDP - Ph. J.M. Beaumont. – 10 : © Quo Vadis. – 12 et 13 : © CNDP - Ph. J.M. Beaumont. – 14 et 15 : © CNDP - Ph. J.M. Beaumont. – 16 à 20 : © CNDP - Ph. J.M. Beaumont

• **Après le bac** (pages 88 à 93)
1 à 9 : © CNDP - Ph. J.M. Beaumont. – 7 : © X. Casanova. – 10 : © CNOUS. – 11 et 12 : © CNDP - Ph. J.M. Beaumont

• **Au travail** (pages 94 à 101)
1 : © EPI - Espace Pain Information. – 2 : © La Documentation Française - Ph. P. Dewarez. – 3 et 4 : © CNDP - Ph. J.M. Beaumont. – 5 : © La Documentation Française - Ph. J.F. Joly / Editing. – 6 : © La Documentation Française - Ph. P. Kohn. – 7 : © ANPE - Ph. T. Foulon. – 8 : © La Documentation Française - Ph. P. Kohn. – 9 : © ANPE - Ph. T. Foulon

• **Informations pratiques** (pages 101 et 103)
p. 103 : © Quo Vadis